¡Acción!
LEVEL 3

Lesson Quizzes
with Answer Key

GLENCOE
McGraw-Hill

New York, New York Columbus, Ohio Mission Hills, California Peoria, Illinois

Glencoe/McGraw-Hill

A Division of The **McGraw·Hill** *Companies*

Send all inquiries to:
Glencoe/McGraw-Hill
15319 Chatsworth Street
P.O. Box 9609
Mission Hills, CA 91346-9609

ISBN 0-02-640717-5

Printed in the United States of America.

1 2 3 4 5 6 7 8 9   BAN   03 02 01 00 99 98 97

CAPÍTULO 1 *Lección 1*

Quiz 1 Vocabulario

Parte A (5 puntos)

¡Olvidaron poner los nombres de los programas en la guía de televisión de hoy! Ponlos tú.

Rocky 2001   **Bugs Bunny & Compañía**
Bombas y balas   **¡Sopas verdes y más!**
Mundo hispano

1. _____, 1991. Un documental sobre la vida de un soldado en la guerra más grande de la historia.

2. _____, 1988. Una colección de cortometrajes (películas cortas) de dibujos animados, famosos y desconocidos.

3. _____. La conocida cocinera, Julia Child, hoy demuestra mil y un usos para el humilde bróculi.

4. _____, 1993. Ahora tiene que pelear contra su nieto ¡en silla de ruedas! La continuación más emocionante de todas.

5. _____. Una discusión con el gobernador y varios estudiantes sobre la educación bilingüe.

Parte B (5 puntos)

A todos tus compañeros les interesa trabajar en la televisión. Según sus gustos e intereses, di en qué tipo de programa va a trabajar cada uno.

1. Maricarmen: me gusta hablar con la gente.

_____

2. Oscar: me encantan los deportes y hablar de ellos.

_____

3. Lourdes: sólo quiero ver MTV.

_____

4. Valentín: me gusta contar e inventar chistes.

_____

5. Laura: me gusta jugar cualquier juego.

_____

CAPÍTULO 1 *Lección 1*

Quiz 2 Vocabulario

Parte A (5 puntos)

Martín y sus amigos acaban de salir del Cine Multiplex, donde vieron cinco películas diferentes. Según sus expresiones, di qué tipo de película vio cada uno.

1. Flor _____

2. Simón _____

3. Guillermo _____

4. Martín _____

5. Celia y Marisol _____

Parte B (5 puntos)

Sugiere el mejor lugar para filmar las siguientes películas, escogiendo de la lista de la derecha.

1. _____ *Tres astronautas y un bebé*   **a.** el desierto

2. _____ *Playas y piratas*   **b.** las islas del Pacífico

3. _____ *Mi camello y yo*   **c.** el espacio

4. _____ *La isla abandonada*   **d.** el mundo oriental

5. _____ *El niño samurai*   **e.** el Caribe

CAPÍTULO 1 *Lección 1*

Quiz 3 Estructura

Parte A (20 puntos)

Sara Flores tiene un programa de televisión donde hace entrevistas. Hoy entrevista a Carlos Camacho, un actor de comedias muy aburrido; no le gusta nada. Escribe lo que pregunta Sara y la respuesta de Carlos.

Por ejemplo: **gustar / los vídeos musicales**
¿Le gustan los vídeos musicales?
No, no me gustan.

1. gustar / ver películas antiguas

_____

_____

2. interesar / las comedias livianas

_____

_____

3. fascinar / el libro *Biografía de un actor*

_____

_____

4. encantar / seguir las telenovelas románticas

_____

_____

5. gustar / las entrevistas

_____

_____

Parte B (5 puntos)

Sara Flores encontró sus apuntes de su entrevista con el músico Mick Dagger. Ayúdala a ponerlos en orden de lo que más le gusta a Mick a lo que menos le gusta. Escribe los números 1 a 5.

_____ Me da igual la biografía que han hecho sobre mí.

_____ Me fascinan los efectos especiales que usamos.

_____ Me vuelve loco la cantante Mariana Fiel.

_____ Me dan pánico las películas de terror.

_____ No me interesa la brujería.

Nombre _____ Fecha _____

CAPÍTULO 1 *Lección 2*

Quiz 1 Vocabulario

Parte A (5 puntos)

Alfredo está viajando por autobús de Bogotá, Colombia a Quito, Ecuador. En Cali, manda una postal a su familia. Completa su postal con algunas de las palabras que siguen.

arriesgado(a)	**cuidadoso(a)**	**impulsivo(a)**
atrevido(a)	**curioso(a)**	**intuitivo(a)**
celoso(a)	**deportista**	

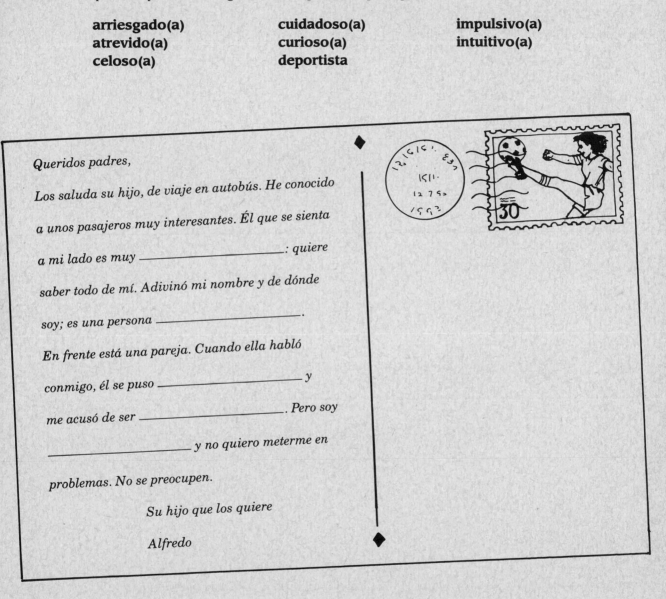

Queridos padres,

Los saluda su hijo, de viaje en autobús. He conocido

a unos pasajeros muy interesantes. Él que se sienta

a mi lado es muy _____: quiere

saber todo de mí. Adivinó mi nombre y de dónde

soy; es una persona _____.

En frente está una pareja. Cuando ella habló

conmigo, él se puso _____ y

me acusó de ser _____. Pero soy

_____ y no quiero meterme en

problemas. No se preocupen.

Su hijo que los quiere

Alfredo

Parte B (5 puntos)

Dalia trabaja en una agencia de viajes. Ayúdala a escoger el viaje apropiado para cada cliente.

Cliente 1: Quiero un viaje muy exótico. _____

Cliente 2: Quiero ir a algún lugar tranquilo y bucólico. _____

Cliente 3: Soy cosmopolita y así me gustan mis vacaciones. _____

Cliente 4: Me gustan los lugares remotos y lejanos. _____

Cliente 5: Queremos un lugar muy lujoso. _____

Viaje a: Una gira por las capitales de Europa.

Viaje b: La Posada en el Bosque — con caída de agua atrás.

Viaje c: El Hotel Reposh, el hotel más exclusivo de París.

Viaje d: Un viaje de alpinismo a Tibet.

Viaje e: Un viaje a las islas del Pacífico a ver bailes tradicionales.

Nombre _____ Fecha _____

CAPÍTULO 1 *Lección 2*

Quiz 2 Vocabulario

Parte A (10 puntos)

Ángela le enseña a su prima fotos de sus compañeros de clase del año pasado. Describe cómo son.

Por ejemplo: Alfredo *es una persona optimista.*

1. Raúl _____.

2. Anita y Marta _____.

3. Celino _____.

4. Teresa _____.

5. Juan _____.

Parte B (5 puntos)

Calixto siempre sueña con aventuras ambiciosas. Di qué actividades sueña con hacer.

1. _____

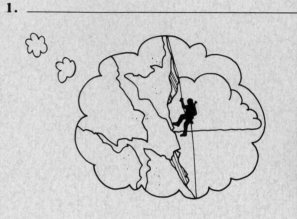

2. _____

3. _____

4. _____

5. _____

Nombre _____   Fecha _____

CAPÍTULO 1 *Lección 2*

Quiz 3 *Vocabulario*

Parte A (12 puntos)

Haces el horóscopo para el periódico escolar. Indica qué cualidad muestra cada dibujo.

ambicioso(a)	**celoso(a)**	**exitoso(a)**	**orgulloso(a)**
amistoso(a)	**cuidadoso(a)**	**imaginativo(a)**	**pesimista**
artístico(a)	**curioso(a)**	**optimista**	**valiente**

1. Cualidad _____

2. Cualidad _____

3. Cualidad _____

4. Cualidad _____

5. Cualidad _____

Quiz 3 Parte A (cont.)

6. Cualidad _____

7. Cualidad _____

8. Cualidad _____

9. Cualidad _____

10. Cualidad _____

11. Cualidad _____

12. Cualidad _____

Parte B (8 puntos)

Miguel Ángel es muy ambicioso: quiere viajar por todo el mundo. Aquí hay unas fotos de su viaje. Describe los lugares que ha visitado.

Por ejemplo: *Es un lugar extraño.*

1. _____

   _____

2. _____

   _____

3. _____

   _____

4. _____

   _____

5. _____

   _____

6. _____

   _____

7. _____

   _____

8. _____

   _____

CAPÍTULO 1 *Lección 2*

Quiz 4 Estructura

Parte A (10 puntos)

¡Qué horóscopo! Celia casi no puede creer lo que dice su horóscopo. Cambia las frases al futuro para leerlo.

Por ejemplo: **hacer el viaje de tu vida.**
Harás el viaje de tu vida.

1. recorrer desiertos _____

2. ir a una isla remota _____

3. correr muchos riesgos _____

4. alejarse de lo rutinario _____

5. experimentar lo placentero _____

6. descubrir otras costumbres _____

7. ver paisajes inolvidables _____

8. desarrollar tus aptitudes _____

9. subir laderas de montañas _____

10. encontrar paz y descanso _____

Nombre_____   Fecha_____

Parte B (5 puntos)

Estos dibujos son de un horóscopo sin palabras. Pon la letra de la frase que corresponde a cada uno.

a.

b.

c.

d.

_____ **1.** Subirás ríos

_____ **2.** Descubrirás nuevos horizontes.

_____ **3.** Pondrás a prueba tu coraje.

_____ **4.** Experimentarás lo placentero.

_____ **5.** Volarás por las arboledas.

e.

CAPÍTULO 1 *Lección 2*

Quiz 5 Estructura

Parte A (10 puntos)

Dalia y una amiga son agentes de viajes que están revisando las vacaciones de sus clientes. Escribe adónde viajará cada cliente.

1. El Sr. Pérez / Londres _____

2. Micaela / Jamaica _____

3. Noemí y Felipe / Lejano Oriente _____

4. tú / Club Paraíso _____

5. yo / Balneario El Remoto _____

Parte B (10 puntos)

El abuelito de Daniel parece saber el futuro de todos. Escribe las predicciones que le cuenta el abuelo.

1. tú / ser paracaidista _____

2. tus amiguitos / practicar el ciclismo _____

3. tu papá / volverse más impulsivo _____

4. nosotros / vivir juntos _____

5. yo / comprar un animalito exótico _____

CAPÍTULO 1 *Lección 2*

Quiz 6   Estructura

Parte A   (10 puntos)

Tu amigo Marcelo está triste y deprimido, a él todo le parece mal. Recuérdale que aunque hoy las cosas estén mal, mañana será mejor.

1. Hoy no puedo pensar. _____

2. Hoy no tengo dinero. _____

3. Hoy no sé qué hacer. _____

4. Hoy estoy malhumorado. _____

5. Hoy no hace sol. _____

Parte B   (5 puntos)

David y Divad son gemelos. Lo que hace uno hace el otro, y los dos tienen los mismos planes para el futuro. Escribe lo que harán cuando sean grandes.

1. viajar a islas remotas _____

2. ser ricos y famosos _____

3. hacer vídeos musicales _____

4. hablar cinco idiomas _____

5. decir todo lo que quieren _____

CAPÍTULO 1 *Lección 3*

Quiz 1 *Vocabulario* (20 puntos)

Escribe frases para explicar cada uno de los siguientes dibujos relacionados con los viajes en coche.

Por ejemplo: *Revisa los filtros.*

1. _____

2. _____

3. _____

4. _____

5. _____

6. _____

7. _____

8. _____

9. _____

10. _____

CAPÍTULO 1 *Lección 3*

Quiz 2 Vocabulario

Parte A (10 puntos)

Silvia hizo una lista de los problemas que tiene su coche. En cada caso escribe qué debe componer.

1. No se ven cuando quiero doblar. _____

2. Casi no puedo ver cuando llueve fuerte. _____

3. De repente aumenta la velocidad. _____

4. Cuando voy rápido, es difícil parar. _____

5. Cuando llueve, se moja el equipaje. _____

6. En la oscuridad, casi no veo la carretera. _____

7. El motor se calienta mucho. _____

8. A causa del choque, el coche ya no tiene identificación. _____

9. No voy a poder poner la rueda de repuesto. _____

10. Es difícil doblar y estacionar. _____

Parte B   (10 puntos)

Rafael y Rafaela anotaron en el mapa el viaje que van a realizar. Describe por qué rutas van y hacia dónde.

Por ejemplo: *Van por la calle Aguila hacia el sur.*

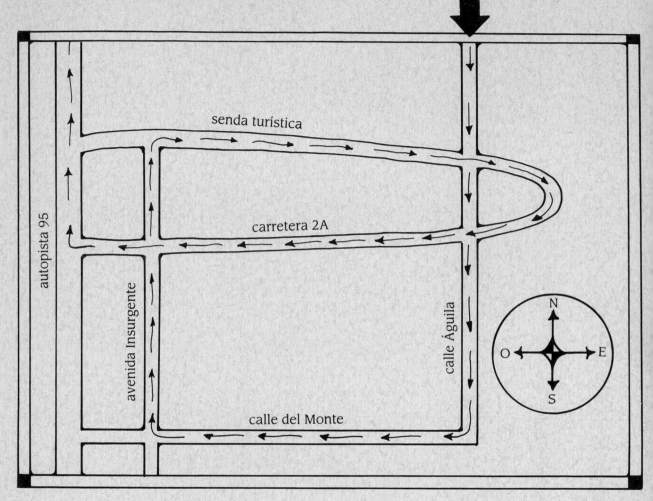

1. _____

2. _____

3. _____

4. _____

5. _____

6. _____

CAPÍTULO 1 *Lección 3*

Quiz 3 Estructura

Parte A (5 puntos)

Antes de dejarle el coche, los papás de Rubén le dieron una lista de consejos. Completa cada uno con un mandato.

1. _____ tu carnet de conducir.

2. _____ los neumáticos y el aceite.

3. _____ el cinturón de seguridad.

4. _____ el tanque de gasolina.

5. _____ los límites de velocidad.

Parte B (10 puntos)

La hermana mayor de Daniela es una persona muy impulsiva. Aquí tienes una de sus cartas. Ponle los mandatos que faltan.

Querida Daniela:

Te extraño mucho y te quiero ver. _____ (venir) a visitarme.

_____ (buscar) un trabajo y _____ (ahorrar) dinero.

Luego, _____ (sacar) tu carnet de conducir y _____

(comprar) un coche de segunda mano. ¡Fácil! Pero en serio, _____

(hacer) el viaje, _____ (decirles) a nuestros papás que quieres venir y

_____ (pedirles) dinero para un boleto. _____ (escribirme)

pronto y _____ (cuidarte) mucho.

Tu hermana que te quiere,

Inés

CAPÍTULO 1 *Lección 3*

Quiz 4 Estructura

Parte A   (10 puntos)

Le enseñas a tu amiga a conducir. Según las ilustraciones, dile cinco cosas que debe hacer al arrancar el motor.

1. _____

2. _____

3. _____

4. _____

5. _____

Parte B   (5 puntos)

Ésta es la primera vez que Heriberto cuida a su primo. Por eso hizo unos apuntes para no olvidar nada de lo que debe hacer o decir. Completa la lista en forma de mandatos.

Por ejemplo: comer la comida
            Come la comida.

1. hacer tu tarea _____

2. cepillarse los dientes _____

3. ponerse los piyamas _____

4. sacar la ropa para mañana _____

5. ir a dormir _____

Nombre _____ Fecha _____

CAPÍTULO 1 *Lección 3*

Quiz 5 Estructura

Parte A (10 puntos)

Prepara unos consejos para los viajes en coche. Escribe la frase completa para cada apunte.

1. revisar el nivel de los líquidos _____

2. hacer una lista de los objetos necesarios _____

3. llevar tu documentación personal _____

4. ajustar bien los cinturones de seguridad _____

5. pensar en el mejor itinerario _____

6. cambiar los filtros a tiempo _____

7. descansar con frecuencia _____

8. planificar el viaje completo _____

9. evitar ingerir alcohol _____

10. seguir mis consejos _____

Parte B (10 puntos)

Como puedes ver, Nora no siguió los consejos de sus amigos en cuanto a los preparativos de su viaje.
Escribe los consejos que sus amigos le dieron.

1. _____

2. _____

3. _____

4. _____

5. _____

CAPÍTULO 1 *Lección 3*

Quiz 6 Estructura (20 puntos)

En el mundo de las carreras de coches, cada coche tiene varios mecánicos. Aquí, ¿qué mandato recibió cada mecánico?

Por ejemplo: 1. *Llena el tanque de gasolina.*

2. _____

3. _____

4. _____

5. _____

6. _____

7. _____

8. _____

9. _____

10. _____

11. _____

Nombre _____ Fecha _____

CAPÍTULO 2 *Lección 1*

Quiz 1 Vocabulario

Parte A (10 puntos)

Abelino siempre tiene pesadillas antes de un examen. Busca la palabra correcta para describir lo que le pasa en esta pesadilla.

1. El gato se comió todos mis _____.

2. Yo no podía leer las _____.

3. La maestra se dio cuenta de mis _____.

4. Tenía un _____ y no podía contestar.

5. El nuevo _____ empezaba a las seis.

6. Todas las _____ estaban en chino.

7. Todos los _____ cambiaban de forma.

8. Las preguntas eran _____ de niños.

9. No veo los _____ que escribe la maestra en la pizarra.

10. El _____ me hizo cometer errores.

a. horario

b. trucos

c. diagramas

d. apuntes

e. teoremas

f. preguntas

g. bloqueo mental

h. nerviosismo

i. advinanzas

j. pistas

Parte B (5 puntos)

En los momentos antes de un examen, Abelino padece de varios estados de ánimo. Escribe cuáles son.

Por ejemplo: la sorpresa

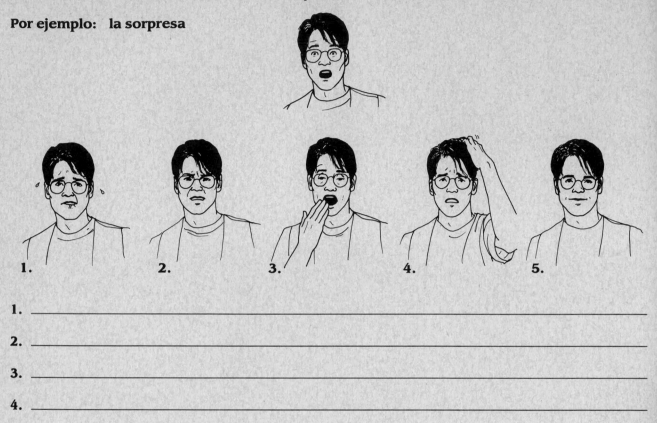

1. _____

2. _____

3. _____

4. _____

5. _____

CAPÍTULO 2 *Lección 1*

Quiz 2 Vocabulario

Parte A (10 puntos)

Carmen le ofrece algunas sugerencias a su hermano antes de su examen. Completa lo que ella le dice con el mandato de un verbo apropiado.

Por ejemplo: _____ **temprano al aula.**
Llega temprano al aula.

1. _____ tus apuntes.

2. _____ lo que leíste.

3. _____ bien la noche antes.

4. _____ tiempo al estudio.

5. _____ preguntas.

6. _____ comer mucho.

7. _____ la calma.

8. _____ con exámenes viejos.

9. _____ los libros.

10. _____ estudiar a última hora.

Parte B (10 puntos)

Marilú quiere cambiar su manera de estudiar. Escribe debajo del dibujo apropiado lo que ella evitará de hacer en el futuro.

dejar de dormir bien
cambiar la rutina
estudiar a última hora / calentar el examen
ponerse nerviosa
ponerse furiosa conmigo misma
cometer errores tontos

Por ejemplo: *No me pondré nerviosa.*

1. _____

3. _____

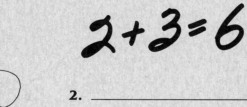

2. _____

4. _____

5. _____

CAPÍTULO 2 *Lección 1*

Quiz 3 Vocabulario (10 puntos)

Pablito ya está listo para estudiar, pero no encuentra nada de lo que necesita. Busca las diez cosas que lo ayudarían a estudiar. Pista: están escritas hacia arriba, hacia abajo y hacia los dos lados.

```
L   K   A   S   S   L   E   E

O   U   X   A   A   E   R   N

I   S   O   L   T   C   T   O

R   A   P   U   N   T   E   S

I   T   R   A   U   U   O   O

D   O   U   L   G   R   R   I

A   N   N   I   E   A   E   R

D   I   A   G   R   A   M   A

A   T   S   I   P   S   A   R

Q   U   I   L   E   N   S   O

O   C   U   R   T   M   O   H
```

CAPÍTULO 2 *Lección 1*

Quiz 4 *Estructura*

Parte A (10 puntos)

Eduardo acaba de anunciar que se va de viaje a México. Ahora todos sus amigos le piden que haga algo. Sigue el ejemplo para decir qué le dice cada persona.

Por ejemplo: **es necesario / ir a la Plaza Garibaldi**
Es necesario que vayas a la Plaza Garibaldi.

1. querer / comprar un periódico mexicano

_____

2. esperar / traer un casete de Luis Miguel

_____

3. desear / leer la biografía de Benito Juárez

_____

4. rogar / saludar a mi amigo Alberto

_____

5. es importante / visitar el Parque Chapultepec

_____

Parte B (5 puntos)

Tu amiga Herlinda siempre te da consejos aunque no se los pidas. Usa la forma correcta de los verbos que siguen para saber lo que ella te dice.

disminuir	**dormir**
divertirse	**estudiar**
doblar	

1. Te aconsejo que _____ conmigo este jueves.

2. Sugiero que _____ nueve horas cada noche.

3. Recomiendo que _____ la velocidad en esta carretera.

4. Es mejor que _____ hacia el sur en esa esquina.

5. Es importante que _____ los fines de semana.

CAPÍTULO 2 *Lección 1*

Quiz 5 Estructura

Parte A (10 puntos)

Iván es pesimista hasta los huesos. Duda de todo lo que dice la gente. Di cuál fue su respuesta a las siguientes declaraciones.

Por ejemplo: **Necesito cambiar el neumático.**
Dudo que cambies el neumático.

1. Espero sacar una buena nota en la prueba del martes.

   _____

2. Quiero dormir durante todo el viaje.

   _____

3. Voy a volar con alas delta el mes que viene.

   _____

4. Dicen que vas a recibir tu carnet de conducir en tu cumpleaños.

   _____

5. Trata de mantener la calma en el próximo examen.

   _____

Parte B   (5 puntos)

La maestra de Silvia le da los últimos consejos antes de una prueba. ¿Qué le va a decir la maestra a Silvia en cada caso?

Por ejemplo: **prestar atención a las pistas**
Quiero que prestes atención a las pistas.

1. revisar tus respuestas

_____

2. mirar bien los diagramas

_____

3. disminuir la ansiedad

_____

4. no cometer errores tontos

_____

5. repasar todo

_____

Nombre _____ Fecha _____

CAPÍTULO 2 *Lección 1*

Quiz 6 *Estructura* (10 puntos)

Jaime le da consejos a su hermano Pablito que está muy nervioso por el examen de matemáticas. Completa los consejos con la forma correcta de uno de los verbos que siguen.

comer	**familiarizarse**	**repasar**
consultar	**hacer**	**resolver**
cuidar	**pensar**	**tratar**
evitar		

1. Es necesario que _____ tus apuntes con tiempo.

2. Es importante que _____ los libros cuando no entiendes algo.

3. Es bueno que _____ los problemas fáciles primero.

4. Es conveniente que _____ con exámenes anteriores.

5. Recomiendo que _____ en las pistas que dio la maestra.

6. Es preciso que _____ el aspecto físico.

7. Es preferible que _____ poca cantidad de alimentos antes del examen.

8. Sugiero que _____ ejercicio físico para evitar el nerviosismo.

9. Es mejor que _____ el uso de estimulantes como el café.

10. Aconsejo que _____ de dormir bien.

CAPÍTULO 2 *Lección 1*

Quiz 7 Estuctura (20 puntos)

El maestro Baez trató de animar a sus estudiantes de matemáticas con su "Lista visual de consejos y necesidades". ¿Qué quiere decir cada uno?

Por ejemplo: *Quiero que (Les pido que, etc.) repasen sus apuntes.*

1. _____

2. _____

3. _____

4. _____

5. _____

6. _____

7. _____

8. _____

9. _____

10. _____

CAPÍTULO 2 *Lección 2*

Quiz 1 *Vocabulario* (13 puntos)

De vacaciones después de su graduación del colegio, Rosa escribe una carta a su hermano. Escoge las palabras y frases apropiadas para leer la carta completa.

ambiente	**educación**	**realidad**	**someterse**
competitivo	**inconvenientes**	**riesgo**	**uniforme**
cuesta	**no obstante**	**según**	**vale la pena**
disfrutar de			

Querido hermanito,

Realmente _____ estudiar. _____ los maestros

y nuestros padres, es un gran _____ salir al mundo sin una

_____ . Es cierto. La _____ es que es muy difícil

conseguir un buen trabajo sin ella. Claro, hay muchos _____ : hay

que vestirse de _____ , hay que _____ a

las reglas del colegio, etc. A veces _____ mucho soportar el

_____ tan _____ . _____ ,

si eres paciente, un día llegarás a _____ todo tu trabajo: ¡la fiesta

de graduación!

Saludos de

_____

CAPÍTULO 2 *Lección 2*

Quiz 2 *Vocabulario* (20 puntos)

Di qué le cuesta hacer a cada una de las siguientes personas.

Por ejemplo: *A Félix le cuesta despertarse.*

1. _____

6. _____

2. _____

7. _____

8. _____

3. _____

4. _____

9. _____

5. _____

10. _____

CAPÍTULO 2 *Lección 2*

Quiz 3 Vocabulario

Parte A (9 puntos)

Marisa está comparando su colegio de chicas con el colegio de su amiga Berta, un centro de coeducación. Llene los espacios con las palabras y frases correctas.

a colores	**inconvenientes**	**realidad**
ambos	**limitaciones**	**uniformes**
cara	**propio**	**usar**
competitivo		

Marisa: Lo que no me gusta de mi colegio son los _____. Son de color blanco y

negro. Yo los prefiero _____.

Berta: Nosotros podemos _____ la ropa que nos guste — dentro de ciertas

_____. Pienso que eso es una ventaja de mi colegio. Pero la otra es que

tenemos un ambiente muy _____. ¡Lo odio!

Marisa: Pero Berta, eso no es _____ de la coeducación. Existe en

_____ estilos de enseñanza. También lo tenemos nosotras.

Berta: La _____ es que hay _____ con cualquier sistema,

¿verdad?

Parte B   (10 puntos)

Leonardo está extremadamente ocupado esta semana. Hizo la lista de lo que debía hacer tan rápido que cometió muchos errores. Corrígela, escogiendo la palabras correctas.

Por ejemplo: aceptar mis (despedidas / limitaciones)

1. trabajar en el (laboratorio / resultado)

2. arreglar la (impresora / meta)

3. (disfrutar del / enfadarse del) tiempo libre

4. ver si (envía / cabe) la bicicleta en el coche

5. (enviar / costar) dinero a mi hermano

6. comparar las (ventanas / ventajas) de las universidades con becas

7. llenar la (encuesta / despedida) de opinión

8. hacer mi diseño para el nuevo (derecho / uniforme)

9. inscribirme en el curso de natación para (padres / principiantes)

10. ver si es (propio / gratis) el baile de graduación.

CAPÍTULO 2 *Lección 2*

Quiz 4 Estructura (20 puntos)

Ramón es una persona muy determinada: aunque haya obstáculos, va a alcanzar sus metas. Escribe lo que va a hacer a pesar de lo que pase.

Por ejemplo: **no tener dinero / conseguir flores para mi mamá**
   Aunque no tenga dinero, voy a conseguir flores para mi mamá.

1. enfadarse / mantener la calma

   _____

2. no recibir becas / estudiar en la universidad

   _____

3. no entender a los demás / vivir mi propia vida

   _____

4. no ser mecánico / componer la calefacción de mi coche

   _____

5. tener miedo de las peñas / volar con alas delta

   _____

6. tener miedo del agua / aprender a nadar

   _____

7. no saber francés / viajar por Francia

   _____

8. querer mucho a mis amigos / decir "no"

   _____

9. hacerme millonario / compartir mis riquezas con los demás

   _____

10. andar en silla de ruedas / conocer todo el mundo

   _____

CAPÍTULO 2 *Lección 2*

Quiz 5 Estructura

Parte A (10 puntos)

Rosaura le enseña a su hermanito a hacer las cosas correctamente. ¿Qué es lo que ella le dice?

Por ejemplo: *Ponte los calcetines antes de que te pongas los zapatos.*

1. _____

2. _____

3. _____

¿Vamos al zoológico?

4. _____

5. _____

Parte B (10 puntos)

Gloria es una chica muy impaciente: sus amigos siempre tienen que decirle que espere. Escribe las frases según el ejemplo.

Por ejemplo: **terminar el año escolar / ir de vacaciones**
Tan pronto como termine el año escolar, vamos de vacaciones.

1. hacer buen tiempo / ir a la playa

_____

2. caer la nieve / ir a esquiar

_____

3. solucionar el inconveniente / emprender viaje

_____

4. empezar las noticias / ver si ganaste la lotería

_____

5. llegar los músicos / disfrutar

_____

C A P Í T U L O   2   *Lección 2*

Quiz 6   Estructura

Parte A   (10 puntos)

El abuelo de Héctor le dice por qué debe hacer ciertas cosas. Escribe lo que le dice.

Por ejemplo: pasar el examen / no tener que repetir el curso
Quiero que pases el examen para que no tengas que repetir el curso.

1. sacar buenas notas / ser veterinario

_____

2. sacar tu carnet / poder conducir de costa a costa

_____

3. hablar con gente diversa / entender muchos puntos de vista

_____

4. hacer una encuesta de opinión / conocer a los demás estudiantes

_____

5. usar una impresora de rayo láser / hacer diagramas a colores

_____

Parte B (10 puntos)

En una encuesta, varios alumnos han dicho que no irán a la universidad inmediatamente después del colegio; quieren hacer otras cosas aunque algo se los impida. ¿Cuáles son sus planes?

Por ejemplo: **tener que trabajar / recibir una beca**
Tendré que trabajar a menos que reciba una beca.

1. viajar a China / haber problemas políticos

_____

2. optar por los deportes profesionales / lastimarse

_____

3. disfrutar del tiempo libre / tener que trabajar en la casa

_____

4. viajar por España / tener que buscar un trabajo

_____

5. estudiar para mecánico(a) / encontrar otro interés

_____

CAPÍTULO 2 *Lección 3*

Quiz 1 *Vocabulario* (15 puntos)

Gregorio quiere trabajar en un almacén. La entrevista es mañana y su amiga Gloria le da unos consejos. Completa la conversación.

Gloria: ¿Ya entregaste la _____?

Gregorio: Claro. Fui ayer a la _____. Es cuando me dieron la hora de la

_____.

Gloria: Espero que no vayas con esa ropa.

Gregorio: ¿Por qué?

Gloria: Tienes que _____ tu imagen. Llega a tiempo, la

_____ es muy importante, estáte _____

durante la entrevista, y por favor, ponte una corbata.

Gregorio: ¿Ponerme una *qué*?

Gloria: ¡Gregorio! ¡No pierdas el _____! Tienes que _____

interés en la empresa y hacer preguntas _____. Tienes que ser

_____ pero tomar la entrevista _____.

Gregorio: Sí.

Gloria: Evita esto también: no contestes con _____. Tampoco demuestres

_____ ni preguntes por el _____. Eso lo puedes

hacer cuando te ofrezcan un _____.

Gregorio: ¡Eso sí!

CAPÍTULO 2 *Lección 3*

Quiz 2 Vocabulario

Parte A (8 puntos)

Sarita anotó en una hoja sus respuestas a una solicitud de trabajo pero ya no recuerda adónde van. Ayúdala, escribiendo cada palabra o frase en el lugar apropiado.

SOLICITUD DE EMPLEO

Nombre: _____

Dirección: _____

Edad: _____

Título(s): _____

Puesto: _____

Experiencia: _____

Sueldo de su último trabajo: _____

Horario preferido: _____

Aficiones: _____

Metas y aspiraciones: _____

_____

Defectos y virtudes: _____

_____

1. Maestra de natación

2. Lunes a jueves en la tarde

3. Participar en los juegos olímpicos

4. Seis dólares por hora

5. El esquí, tocar la trompeta.

6. Soy fuerte pero algo tímida.

7. Soy salvavidas y doy clases de trompeta.

8. Me gradué de la preparatoria y estudio en la universidad.

Parte B (7 puntos)

Escribe cada uno de los consejos para conseguir trabajo debajo del dibujo que lo representa.

Conócete bien.
Cuida la imagen.
No pierdas la calma.
Sé tú misma.

No demuestres impaciencia.
No contestes con monosílabos.
No preguntes por el sueldo.
Sé puntual.

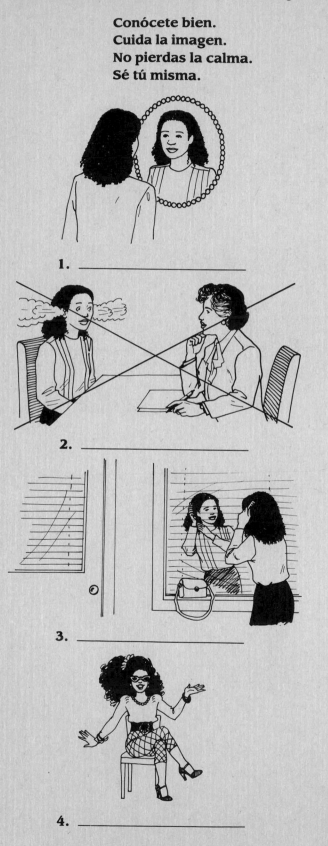

1. _____

2. _____

3. _____

4. _____

5. _____

6. _____

7. _____

8. _____

CAPÍTULO 2 *Lección 3*

Quiz 3 Vocabulario (10 puntos)

La Sra. Gallardo tuvo que entrevistar a diez aspirantes para encontrar a la persona adecuada para su equipo. Completa sus apuntes con las palabras que siguen.

afición	**estropeó**	**posponer**
demuestra	**mintió**	**puntual**
dispuesta	**monosílabo**	**sueldo**
en broma		

Aspirante 1: Se atrasó media hora y no llamó. Necesitamos alguien más _____.

Aspirante 2: Tampoco llegó a tiempo pero por lo menos llamó para _____

la entrevista.

Aspirante 3: Tomó _____ casi todas mis preguntas.

Aspirante 4: Preguntó por el _____ tres veces. ¡Qué descarado!

Aspirante 5: Cuando habló de sus defectos, _____ mucho su imagen.

Aspirante 6: Averigüé después que _____ cuando dijo que conocía a mi jefe.

Aspirante 7: Ella está _____ a trabajar pero le falta la madurez.

Aspirante 8: Su _____ es cazar ratones. ¡Qué horror!

Aspirante 9: Casi no dijo nada, habló sólo con _____.

Aspirante 10: ¡Por fin! Éste sí _____ las cualidades que yo busco.

CAPÍTULO 2 *Lección 3*

Quiz 4 Vocabulario

Parte A (5 puntos)

Los archivos (*files*) de Mabel están completamente desordenados. Busca el puesto que corresponde a cada descripción del trabajador que se necesita.

1. Mantiene bien la imagen, sabe desarrollar una buena conversación _____

2. Es atlético(a) y demuestra mucha madurez con los niños _____

3. Puede trabajar en equipo y está dispuesto(a) a aprender _____

4. Toma la vida en broma pero el trabajo en serio; tiene ganas de viajar _____

5. Nunca pierde la calma, tiene mucha habilidad con los dedos _____

a. asistente de carpintero

b. constructor/a de modelos de efectos especiales

c. maestro(a) de educación física

d. vendedor/a de enciclopedias

e. payaso en un circo

Parte B (10 puntos)

Doña Paquita escribe un libro de su vida en el mundo de negocios, titulado *Sé tú mismo*. ¿Cuáles de los siguientes consejos son del capítulo "Cuando quieres que te despidan (*fire you*)"? Escribe una **X** al lado de esos consejos.

1. _____ Toma tu trabajo en serio.

2. _____ Demuestra impaciencia por salir.

3. _____ Miente a tu jefe.

4. _____ Nunca llegues a tiempo.

5. _____ Atrásate en tu trabajo.

6. _____ Haz preguntas inteligentes a tu jefe.

7. _____ Estáte tranquilo(a).

8. _____ Practica tus aficiones en la oficina.

9. _____ Pierde la calma por cualquier cosa.

10. _____ Deja de cumplir tus obligaciones.

11. _____ Quéjate de los defectos de la empresa.

12. _____ Habla mal de tus compañeros de equipo.

13. _____ Compórtate con madurez.

14. _____ Mantén la imagen siempre.

15. _____ Demuestra interés en otra empresa.

16. _____ Muestra ganas de superarte.

CAPÍTULO 2 *Lección 3*

Quiz 5 Estructura

Parte A (10 puntos)

José presenta a su clase de arte varias esculturas que hizo de objetos que encontró en la calle y en la basura. Usa *ser* para decir de qué son.

1. _____

2. _____

3. _____

4. _____

5. _____

Parte B (10 puntos)

Mabel trabaja en una oficina donde ayuda a sus clientes a conseguir trabajo. Éstos son algunos de sus clientes. ¿Cómo están?

Por ejemplo: **El Sr. Golondrina esperó dos horas para hablar con Mabel.**
Está impaciente.

aburrido(a)	**impaciente**	**nervioso(a)**
enojado(a)	**interesado(a)**	**preocupado(a)**

1. La Sra. Zambrano no puede estarse tranquila.

_____

2. José Lisano perdió el hilo de la conversación.

_____

3. Carla Zati a menudo mira su reloj y por la ventana.

_____

4. Claribel Muñoz sabe todo de la empresa donde quiere trabajar.

_____

5. Cerino Fusol perdió la calma y no consiguió el puesto.

_____

CAPÍTULO 2 *Lección 3*

Quiz 6 Estructura (18 puntos)

Describe a las siguientes personas que acaban de encontrar trabajo. Sigue el ejemplo usando *ser* o *estar*.

Por ejemplo: Lola / artística / pintora
Lola es muy artística. Es pintora.

1. Guillermo / dramático / actor

_____

2. Gonzalo / en Francia / intérprete

_____

3. Luz María / interesada en el cine / asistente de director

_____

4. Laura / fanática del béisbol / locutora de deportes

_____

5. Galindo / atlético / emocionado porque es jugador profesional

_____

6. Pobre Felipe / enfermo / en casa

_____

7. Celia / contenta / lectora para personas ciegas

_____

8. Pilar / disponible en las noches / mesera

_____

9. Alberto / dispuesto a viajar / piloto

_____

CAPÍTULO 3 *Lección 1*

Quiz 1 Vocabulario (10 puntos)

Josué y Celina acaban de romper su noviazgo. Josué le escribe una carta a un amigo. Complétala.

Querido Guillermo,

Después de casi dos años de _____ con Celina, acabo de

_____ de ella. Hacía tiempo que _____

hablarnos y ya no lo _____ bien juntos. Al principio, compartimos

todo y _____ en contacto todos los días. Pero empecé a escuchar

_____ de los demás que Celina tenía otros novios. ¡Era

_____! Claro que yo tenía muchos _____.

Hasta nos _____ todos los días. Al final fui infiel yo. Celina dice

que yo la _____ a ella por miedo, pero no es cierto. Hay que ser

egoísta a fin de cuentas, ¿no?

Saludos de,

_____

CAPÍTULO 3 *Lección 1*

Quiz 2 Vocabulario

Parte A (5 puntos)

Melinda contestó una encuesta sobre su vida personal en otra hoja. Junta cada respuesta con la pregunta que contesta.

1. ¿Con qué te obsesionas?

2. ¿En qué tienes éxito?

3. ¿De qué te avergüenzas?

4. ¿Con quién cuentas?

5. ¿Con quién te mantienes en contacto?

a. hablar delante de mucha gente

b. los del club de teatro

c. los vídeos de rock pesado

d. las obras de teatro

e. mi hermano mayor y Kati, mi amiga del alma

Parte B (20 puntos)

Leticia escribe una columna para el periódico donde da consejos a los jóvenes en los asuntos del amor. Escribe en forma de mandato afirmativo o negativo sus "Diez puntos para un noviazgo feliz".

Por ejemplo: **escuchar rumores**
             No escuchen rumores.

1. ser infieles _____

2. juntarse a menudo _____

3. contar secretos del otro _____

4. dejar de hablarse _____

5. mantenerse en contacto _____

6. respetarse el uno al otro _____

7. obsesionarse _____

8. conocerse bien el uno al otro _____

9. confiar el uno en el otro _____

10. pelearse por cosas insignificantes _____

Parte C (5 puntos)

Un consejero está hablando con un grupo de jóvenes acerca de las relaciones entre los novios. Aquí muestra fotos de cinco características de algunos noviazgos. Escribe cada característica al lado de la foto que la represente.

ayudarse el uno al otro
competir el uno contra el otro
contar el uno con el otro

depender el uno del otro
desconfiar el uno del otro

1. _____

2. _____

3. _____

4. _____

5. _____

Nombre _____ Fecha _____

CAPÍTULO 3 *Lección 1*

Quiz 3 Estructura (14 puntos)

Aquí hay una carta que un chico le escribió a un consejero que escribe para un periódico. Completa la carta con el presente perfecto de los verbos indicados.

Carta

Soy un chico de diecisiete años y todavía no _____ (enrollarse)

ni una vez. Yo _____ (tratar) de comportarme muy macho,

pero sólo _____ (conocer) a chicas muy superficiales.

_____ (explicarles) mis problemas a algunos amigos pero

ellos tampoco _____ (tener) mucha experiencia en el amor.

Espero sus consejos.

Respuesta

Tu problema es muy común y no debes angustiarte. Muchos chicos, como tú,

_____ (aprender) a comportarse como el hombre estereotípico. Es

decir, _____ (deshacerse) de todas las emociones que no les

parecen "de hombre". No te limites, mi amigo, a ese papel. Debes confiar en ti mismo y

tratar de deshacerte de ese complejo de timidez. Sólo siendo tú mismo vas a encontrar

una relación en la que seas feliz.

CAPÍTULO 3 *Lección 1*

Quiz 4 Estructura

Parte A   (10 puntos)

Braulio busca alguien para que lo acompañe a ir al cine, pero todos sus amigos han hecho otros planes. Explica qué han hecho.

Por ejemplo: yo / prometer salir con mi novia
            Ya he prometido salir con mi novia.

1. Carla / hacer una cita con el doctor _____

2. los hermanos Cortés / organizar una excursión _____

3. nosotros / comprar entradas para el partido de baloncesto _____

4. Pablo / decidir quedarse en casa _____

5. yo / gastar todo mi dinero _____

Parte B   (10 puntos)

Calixto ya está harto de Laura, su novia. Quiere que ella lo respete más. Con ese fin, hizo unos apuntes para las preguntas que le quiere hacer. Escribe las preguntas según el ejemplo.

Por ejemplo: mantenerse en contacto conmigo
            ¿Por qué no te has mantenido en contacto conmigo?

1. besarme últimamente

_____

2. mostrarme respeto

_____

3. confiar en mi sinceridad

_____

4. ignorar los rumores de los demás

_____

5. deshacerse de tu ex-novio

_____

Parte C (10 puntos)

La nueva maestra no cree lo que le dicen los alumnos. Di lo que ella dice en cada caso.

Por ejemplo: Félix / ir al baño
No creo que él haya ido al baño.

1. Maribel / ganar el premio literario _____

2. Juancho y Pancho / leer el capítulo _____

3. yo / tener alumnos tan malos _____

4. Uds. dos / escucharme _____

5. la clase / terminar _____

CAPÍTULO 3 *Lección 1*

Quiz 5 *Estructura*

Parte A (10 puntos)

Feliciano no puede disfrutar sus vacaciones por estar preocupado por tantas cosas. Di lo que piensa en cada caso.

1. Espero que Carmen haya _____ el regalo. (envolver)

2. Espero que mi hijo no haya _____ su regalo. (descubrir)

3. Espero que no hayan _____ todas mis plantas. (morir)

4. Espero que el perro no haya _____ nada. (romper)

5. Espero que haya _____ mi moto con el plástico. (cubrir)

6. Espero que Carmen haya _____ los libros a la biblioteca. (devolver)

7. Espero que mi hijo se haya _____ en el curso de verano. (inscribir)

8. Espero que se hayan _____ a suscribir a *El País*. (volver)

9. Espero que mi hijo haya _____ la gasolina que usó. (reponer)

10. Espero que no hayan _____ la casa con sus fiestas. (revolver)

Parte B (10 puntos)

Columa es muy exigente en cuanto a las cualidades del novio que desea. Di lo que ella dice en cada caso.

Por ejemplo: **viajar mucho**
   Quiero un novio que haya viajado mucho.

1. tener experiencia en el amor _____

2. leer mucho _____

3. conocer a gente interesante _____

4. viajar por el mundo _____

5. hacer una fortuna _____

CAPÍTULO 3 *Lección 2*

Quiz 1 Vocabulario

Parte A   (10 puntos)

Nani escribe una descripción de su novio ideal. Ayúdala a completar las frases, escogiendo las palabras de la derecha.

Mi novio ideal sería…

1. callado como _____

2. travieso como _____

3. trabajador como _____

4. fuerte como _____

5. grande como _____

6. distinguido como _____

7. inteligente como _____

8. dulce como _____

9. cómico como _____

10. listo como _____

a. un rey

b. un niño

c. chocolate con miel

d. un caballo

e. un payaso

f. Albert Einstein

g. una abeja

h. un gigante

i. un ratón

j. un zorro

Parte B   (5 puntos)

Rafaela y sus amigas hablan de sus novios. Escoge la mejor palabra para describir a cada uno.

cómico	flojo	travieso
engañoso	trabajador	

1. "No quiere hacer nada — ¡ni abrir la puerta!" _____

2. "Siempre quiere jugar o hacer bromas." _____

3. "Ya no confío en él: dice una cosa y hace otra." _____

4. "Cuando estoy con él no dejo de reírme." _____

5. "Casi no lo veo porque está siempre en la oficina." _____

CAPÍTULO 3 *Lección 2*

Quiz 2 *Vocabulario*

Parte A (10 puntos)

Rogelio está enamorado y no deja de hablar como un amante-poeta. Según el dibujo, escribe la frase que dijo Rogelio.

Por ejemplo: *Es trabajadora como una hormiga.*

1. _____

2. _____

3. _____

4. _____

5. _____

Parte B (12 puntos)

Ésta es una hoja del diario de una diosa griega bastante traviesa: le gusta convertirse en animales.
Escribe en frases completas qué era a qué hora según el ejemplo.

Por ejemplo: *A las siete y media era una tortuga.*

1. 7:30 _____

_____

2. 9:00 _____

_____

3. 10:30 _____

_____

4. 12:00 _____

_____

5. 2:30 _____

_____

6. 5:00 _____

_____

CAPÍTULO 3 *Lección 2*

Quiz 3 *Estructura* (10 puntos)

Cuando Felipe y Felipa preguntaron a su papá cómo conoció a su mamá, no esperaban toda una historia. Completa la historia del papá con el imperfecto del verbo entre paréntesis.

"Cuando yo _____ (tener) la edad de ustedes, conocí a una

niña fea que _____ (vivir) en mi barrio. Nosotros siempre

_____ (subir) en el mismo autobús en la misma parada

a la misma hora. Cuando _____ (estar) solos yo la

_____ (tratar) bien, pero cuando yo _____

(andar) con mis compañeros, o yo no le _____ (hacer)

caso o _____ (burlarse) de ella, gritando '¡Fea! ¡Fea!' Un

día yo _____ (andar) tirando piedras y una le pegó y

ella empezó a llorar a gritos. No le pedí perdón ni nada. Quince años

después, _____ (ir) de paseo por la plaza cuando la vi, bella

como un ángel. Le pedí perdón por la piedra, nos enamoramos, y ¡aquí

estamos todos!"

CAPÍTULO 3 *Lección 2*

Quiz 4 Estructura (20 puntos)

La abuelita de Carlos siempre está hablando de "los días de antes". Escribe lo que ella dice.

Por ejemplo: **antes / nosotros / pasear con los novios en el parque**
Antes, nosotros paseábamos con los novios en el parque.

1. En aquella época / tus papás / todavía no existir

   _____

2. A menudo / yo / coquetear con los chicos

   _____

3. Todos los años / haber un gran baile en el centro

   _____

4. Mis papás / siempre / confiar en mí

   _____

5. Por lo general / mis novios / ser príncipes guapos

   _____

6. A veces / salir con chicos / no ser fieles

   _____

7. Entonces / deshacerse de ellos

   _____

8. En aquel entonces / yo / tener la piel como seda

   _____

9. Todos los días / ponerse / crema de aguacate

   _____

10. En ese tiempo / reírse del mundo a carcajadas

   _____

CAPÍTULO 3 *Lección 2*

Quiz 5 Estructura

Parte A (10 puntos)

Mario y Kati eran novios hasta que la familia de Kati se mudó. Según el ejemplo, escribe en frases completas qué hacían.

Por ejemplo: quererse mucho
   Se querían mucho.

1. pasarlo juntos todos los días _____

2. guardar los secretos del otro _____

3. apoyarse en los momentos difíciles _____

4. pelearse de vez en cuando _____

5. obsesionarse el uno con la otra _____

Parte B (5 puntos)

Carmelita le está contando a su amiga del alma la impresión que tuvo de su novio actual después de su primera conversación con él por teléfono. Escribe el tiempo pasado imperfecto de cada verbo.

"¡Ay, Carmelita! Lo _____ (imaginar) como un dios griego. En

la presencia de su voz _____ (haber) sol y las llamas me

_____ (quemar) el corazón. Por su voz, _____

(imaginarse) que _____ (tener) el cuerpo de un atleta. Pero

resultó feo, flaco, y flojo. Sin embargo, ¡me gusta!"

CAPÍTULO 3 *Lección 3*

Quiz 1 Vocabulario

Parte A (5 puntos)

Cleo busca imágenes poéticas para un poema que escribe. Ayúdala, conectando cada cosa con su definición.

1. una mariposa		**a.**	la sonrisa del cielo
2. una ballena		**b.**	una canción del océano
3. un arco iris		**c.**	caballitos blancos en el aire
4. las nubes		**d.**	las lágrimas de la noche
5. el rocío		**e.**	un par de alas sin ángel

Parte B (8 puntos)

Marisol tiene alma de poeta y le gusta escribir frases poéticas en su diario. Completa las que siguen con palabras de la lista.

alcanzar	**los labios**	**el rocío**
el arco iris	**el olvido**	**el silencio**
el arroyo	**el pensamiento**	

1. _____ es una lluvia muy suave.

2. El sueño del poeta es escuchar su canción en los _____ de la gente.

3. _____ es agua que está de viaje.

4. Recordar es una manera de mantenerse en contacto con _____.

5. _____ se parece un poco a la muerte.

6. Para _____ el arco iris hay que pasar por la tormenta.

7. _____ es un puente entre el cielo y la tierra.

8. A veces _____ dice más que palabras.

CAPÍTULO 3 *Lección 3*

Quiz 2 *Vocabulario*

Parte A (20 puntos)

Pedro está locamente enamorado de Marisol y ha dibujado las ilustraciones que siguen para recordarla. Escribe lo que él piensa en cada caso.

Por ejemplo: *Tu sonrisa me recuerda a un arco iris.*

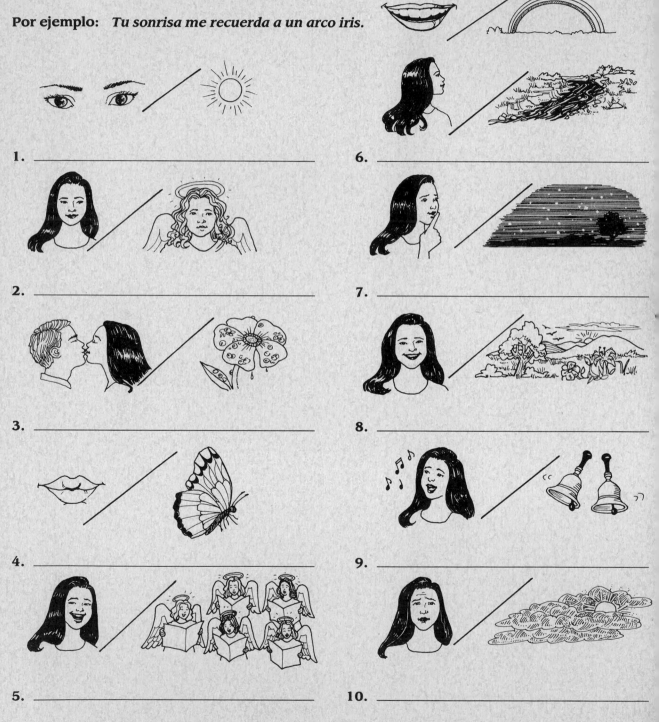

1. _____

2. _____

3. _____

4. _____

5. _____

6. _____

7. _____

8. _____

9. _____

10. _____

Parte B (5 puntos)

Carolina les muestra fotos de sus vacaciones a sus amigos. Completa las frases con el adjetivo correcto en la forma correcta.

distante	oloroso(a)	vacío(a)
dorado(a)	sordo(a)	

1. En el centro de la plaza hay una estatua _____ de un ángel.

2. Aquellas rosas eran las más _____ que he olido.

3. Me costó mucho trabajo hablar con el Sr. Feligresio porque era _____.

4. Parece muy cerca esa peña, pero en realidad estaba _____.

5. Queríamos ir a nadar pero no pudimos porque la piscina estaba _____.

Lesson Quizzes
© Glencoe

¡Acción! Level 3   CAPÍTULO 3   Lección 3   65

CAPÍTULO 3 *Lección 3*

Quiz 3 *Vocabulario*

Parte A (10 puntos)

Cipriana, la hermana de Cipriano, no dice nada de manera directa: siempre habla en términos poéticos. Conecta cada frase con lo que quiere decir.

1.	La madrugada lloró rocío.	**a.**	Tienes el tacto suave.
2.	Entró en el olvido.	**b.**	Es poetisa.
3.	Un par de alas de ángel.	**c.**	No te mantienes en contacto conmigo.
4.	Tiene el corazón de palabras.	**d.**	Una rosa que huele bien.
5.	El vacío del oído.	**e.**	Murió.
6.	Me tocas como una nube.	**f.**	Una mariposa.
7.	Me morí al contemplarte.	**g.**	Llovió por la mañana.
8.	Eres distante como la luna.	**h.**	Me volví loca al verte.
9.	Una sonrisa rosa y olorosa.	**i.**	Se rompió mi grabadora.
10.	Se calló mi canción.	**j.**	El silencio.

Parte B (5 puntos)

Milton está inventando un nuevo tipo de poema: uno que contiene palabras y dibujos. Escribe la palabra representada por cada dibujo.

Tu tacto es suave como una _____ .

Tus _____ son una rosa abierta.

Tu _____ me recuerda a una canción antigua.

Tus lágrimas son el _____ de una flor.

Ver tu silencio es como contemplar _____ .

CAPÍTULO 3 *Lección 3*

Quiz 4 *Estructura* (10 puntos)

Catalina les cuenta a sus hijos cómo conoció a su padre. Completa lo que ella dice con el imperfecto o el pretérito de los verbos entre paréntesis.

Yo lo _____ (conocer) una tarde bajo un arco iris. Bueno, nosotros

_____ (hablar) a menudo, pero cuando yo _____ (saber)

que él _____ (tener) novia, ya no _____ (sentir) ninguna

tentación. Sin embargo, yo _____ (querer) mantenerme en contacto

con él. Un día _____ (haber) una tormenta tremenda y (yo) lo

_____ (encontrar) mojado en la calle. "_____ (tener)

que llevar a mi prima al tren", dijo. ¡Su prima! ¡No _____ (ser) su

novia! Entonces volvió a aparecer el arco iris.

CAPÍTULO 3 *Lección 3*

Quiz 5 Estructura

Parte A (10 puntos)

Aunque Cipriano es flojo, siempre tiene un pretexto. Completa sus pretextos.

Por ejemplo: poder conseguir el puesto / haber demasiados aspirantes
No pude conseguir el puesto porque había demasiados aspirantes.

1. llevar el mapa / pensar que conocía el camino

_____

2. querer conocerla / ya conocer sus amigos

_____

3. poder ir a la fiesta / no poder salir del trabajo

_____

4. recibir tu mensaje / estar enferma mi secretaria

_____

5. llamarte / no encontrar mi libreta de direcciones

_____

Parte B (10 puntos)

Flavia le escribe una carta de despedida a su novio. Ayúdala, escribiendo el tiempo apropiado de cada verbo.

Querido amor mío,

Por mucho tiempo yo te _____ (querer), tu sonrisa, tus besos. Pero tu amor es

como esa montaña que el año pasado nosotros _____ (querer) subir pero no

_____ (poder). Anoche yo _____ (tener) un sueño. En el sueño

_____ (haber) una mariposa y yo la _____ (querer) pillar. De

repente, ella me _____ (mirar) y en ese momento _____

(saber) que no _____ (poder) encontrar la paz sin dejar el pasado. Es decir,

_____ (tener) que dejarte.

Abrazos de,

_____

CAPÍTULO 3 *Lección 3*

Quiz 6 Estructura (10 puntos)

Karina le cuenta a una nueva amiga la historia de cómo empezó su noviazgo. Escribe las oraciones completas según el ejemplo. (Ten cuidado con el tiempo de cada verbo.)

Por ejemplo: **yo / conocerlo / hace tres años**
Yo lo conocí hace tres años.

1. él / querer ser mi novio / en ese tiempo

_____

2. él / mandarme mensajes / todo el tiempo

_____

3. él / saber mi dirección / un día

_____

4. él / saber que me encantan las mariposas

_____

5. haber / miles de mariposas / cuando abrí la puerta

_____

CAPÍTULO 4 *Lección 1*

Quiz 1 Vocabulario

Parte A (5 puntos)

Lee las frases y escribe al lado de cada una la letra de la edad que le corresponde.

_____ **1.** Es una mujer tranquila con mucha fuerza
física y mental.

_____ **2.** Tiene la espalda encorvada y camina
muy despacio.

_____ **3.** No deja de jugar.

_____ **4.** Hace varias cosas a la vez y piensa
mucho en sí mismo.

_____ **5.** Tiene una mirada inocente y una sonrisa
como arco iris.

a. la infancia

b. la niñez

c. la adolescencia

d. la madurez

e. la vejez

Parte B (18 puntos)

Doña Nilsa está recordando los viejos tiempos. Completa las siguientes frases con las palabras
de la lista.

baúles	**espalda derecha**	**pálidas**
diablo	**mejillas**	**sonrosadas**
disfrazarme	**mirada de un lince**	**traviesa**

1. De niña me ardían las _____ cuando me llamaba la maestra.

2. Hace muchos años yo tenía la _____ .

3. Cuando era joven tenía la _____ como un árbol.

4. Me encantaba curiosear en los _____ de la abuela y

_____ con su ropa.

5. De niña yo era _____ como un _____ .

6. Ahora mis mejillas son _____ , antes eran _____ .

CAPÍTULO 4 *Lección 1*

Quiz 2 *Vocabulario*

Parte A (5 puntos)

Tu tarea para la clase de teatro es representar varios personajes. Escribe la palabra que mejor describe cada personaje debajo de su dibujo.

comediante	genial	pecador	pensativo	rebelde

1. _____

2. _____

3. _____

4. _____

5. _____

Nombre _____ Fecha _____

Parte B (10 puntos)

La bruja Columba está probando una nueva receta (*recipe*) que su mamá le dio para alegrar los corazones melancólicos. Escribe los ingredientes debajo de los dibujos que los representan.

1. _____ 6. _____

2. _____ 7. _____

3. _____ 8. _____

4. _____ 9. _____

5. _____ 10. _____

CAPÍTULO 4 *Lección 1*

Quiz 3 Vocabulario (10 puntos)

El abuelo de Miguelito era payaso en un circo. Un día Miguelito curioseaba en el sótano cuando encontró un baúl lleno de sus trajes y equipo. Escoge la palabra correcta para describir lo que encontró Miguelito.

1. Había un traje lleno de (abejas / cascabeles).

2. Encontró dos (títeres / galletas) enormes.

3. Vio un disfraz de (monedas / monstruo).

4. Descubrió varias entradas para (el carrusel / la ópera).

5. Sacó unas cartas de amor bien (traviesas / arrugadas).

6. Vió una foto de su abuelo disfrazado de (diablo / pedazo).

7. Tocó con el dedo un viejo chicle (malvado / masticado).

8. Había una (campanita / muñequita) de oro que recibió en su aniversario número 25 con el circo.

9. Leyó varios artículos sobre las (montañas rusas / hazañas) de su abuelo.

10. Encontró unos (papelitos / pañuelos) que decían como era la vida en el circo.

CAPÍTULO 4 *Lección 1*
Quiz 4 Estructura

Parte A (10 puntos)

Cuando hubo un choque en frente de la casa de Selina, cada persona reaccionó de distinta manera. Completa las frases según el ejemplo.

Por ejemplo: el perro / comenzar a ladrar
            El perro comenzó a ladrar.

1. Selina / llamar a la ambulancia

_____

2. su hermanita / esconderse detrás del sofá

_____

3. sus papás / ir a ayudar

_____

4. nosotros / salir del coche

_____

5. yo / buscar mi carnet de conducir

_____

Parte B (5 puntos)

A Jorge siempre le pasa algo que interrumpe lo que está haciendo. Completa las frases con el tiempo pretérito del verbo.

1. Caminaba a la escuela cuando _____ (descubrir) una cueva.

2. Curioseaba en el ático cuando _____ (aparecer) su abuela.

3. Veía la tele cuando de repente _____ (caerse) de la mesa.

4. Pensaba subir al carrusel y de pronto _____ (subir) una docena de niños.

5. Iba a comprar unos chupa-chups cuando _____ (leer) la advertencia (*warning*).

CAPÍTULO 4 *Lección 1*

Quiz 5 Estructura (9 puntos)

La abuela le está contando a su nieta una historia de su niñez. Completa lo que dice con el tiempo correcto de los verbos.

En mi niñez, tenía la voz de un ángel. Un día yo _____ (ir)

al mar a cantar. _____ (sentarse) en la playa y

_____ (empezar) a cantar. Hacía mucho calor. Yo

_____ (dormir) un rato y luego _____

(volver) a cantar. De pronto, delante de mí, _____ (ver) a

una ballena. Después _____ (aparecer) otra y otra. ¡Seis en

total! Casi me muero de miedo. _____ (dejar) de cantar

inmediatamente y _____ (correr) para la casa. Detrás de mí,

cantaban las ballenas. Ahora tengo sesenta años y no le tengo miedo a las

ballenas. ¿Qué te parece si mañana vamos a cantarles a las ballenas?

CAPÍTULO 4 *Lección 1*

Quiz 6 *Estructura* (20 puntos)

Nilsa le está contando a su nieta de una amiga secreta que tenía de niña. Completa su relato con el tiempo correcto del verbo apropiado.

arder   **llamarse**   **romper**

castigar   **pegar**   **ser**

encontrar   **pensar**   **tener**

hacer

Cuando _____ niña yo _____ una muñeca

que _____ Amalia. La _____ un día

cuando mi mamá me _____ por haber pintado la cara de la

muñeca. Por varios años cada vez que _____ en lo que

_____ me _____ las mejillas. Muchos años

después _____ los pedazos de Amalia que mi mamá había

guardado y los _____. Aun con marcas en la cara,

es bonita.

CAPÍTULO 4 *Lección 2*

Quiz 1 Vocabulario

Parte A (10 puntos)

Julia pasó un mal rato cuidando a varios niños. Explica quién hizo qué según las fotos que sacó Julia.

Por ejemplo: **no hacerme caso**
Mi hermanito no me hizo caso.

mi hermanito

Pedro

Hilda y Kati

Julián

el niño de la
Sra. Olmos

las hermanas
Zaldumbide

1. no portarse bien _____

2. no ser respetuoso _____

3. tener rabietas _____

4. escaparse sin permiso _____

5. encerrarse en el baño _____

Parte B (5 puntos)

Ahora Julia cuida a los hermanos Morales, cinco niños insolentes y difíciles. Completa las frases para describir cómo se porta cada uno, según lo que dicen.

Alberto: ¡¡¡No me hables!!!
Alfredo: Voy a mi cuarto.
Alejandro: Esta comida no me gusta.
Alfonso: Pero mi mamá siempre nos deja hacerlo.
Alejo: Eso no me gusta… no lo voy a hacer.

| amurrarse | chillar | discutir | obedecer | quejarse |

1. A _____ le gusta _____ .

2. A _____ le gusta _____ .

3. A _____ le gusta _____ .

4. A _____ no le gusta _____ .

5. A _____ le gusta _____ .

Lesson Quizzes
© Glencoe

¡Acción! Level 3   CAPÍTULO 4   Lección 2   79

CAPÍTULO 4 *Lección 2*

Quiz 2 *Vocabulario*

Parte A (5 puntos)

En su adolescencia Paco tenía muchos conflictos con sus padres. Todavía recuerda una semana especialmente difícil. Escoge un verbo de la lista para completar lo que dice.

> **hacer las paces**   **maldecir**   **negarse**   **presionar**   **prohibir**

1. Primero, yo _____ a hacer los quehaceres.

2. Mis papás me _____ para que los hiciera, pero no quise.

3. Luego me _____ salir por la noche.

4. Yo los _____ y por eso me quitaron mi mesada.

5. Tres semanas después por fin _____.

Parte B (10 puntos)

Karina y Felipe hablan de sus compañeros de clase. Escribe lo que dicen, según el ejemplo.

Por ejemplo: la mamá de Daniel / dejarlo sin ver la televisión
> *La mamá de Daniel lo dejó sin ver la televisión.*

1. el papá de Sara / presionarla para que estudiara francés

_____

2. al hermano de José / golpearlo anoche

_____

3. el papá de mi novio / amonestarlo con no verme más

_____

4. Sergio / maldecir a la directora del colegio

_____

5. Columba y yo / disculparnos el uno con el otro

_____

CAPÍTULO 4 *Lección 2*

Quiz 3 Estructura

Parte A (10 puntos)

Gracias al carrete de película (*film*) superrápida, Javier pudo sacar esta foto de su familia en acción. Di qué ha hecho cada persona.

1. Carlos (caerse) _____.

2. Sofía (encerrarse) _____ en el baño.

3. Mamá (echar) _____ al perro.

4. Papá (acostarse) _____ en el sofá.

5. Kati (ver) _____ un ratón.

Parte B   (10 puntos)

El abuelo mira unas fotos viejas. Le cuenta a su nieta Lupita qué había pasado en cada caso. ¿Qué le dice el abuelo a Lupita?

Por ejemplo: cumplir siete años
Yo había cumplido siete años cuando sacaron esta foto.

1. quejarse de los quehaceres

_____

2. no hacerle caso a la maestra

_____

3. encerrarme en el baño del primer piso

_____

4. recibir mi mesada

_____

5. comer demasiado pastel de cumpleaños

_____

CAPÍTULO 4 *Lección 2*

Quiz 4 Estructura (15 puntos)

Pablo le cuenta a Alicia de su fiesta de cumpleaños hace tres años. Completa su relato con el tiempo apropiado del verbo.

En ese entonces, yo siempre _____ (tener) fiestas grandes con

todos mis amigos. Pero aquel año mis papás _____ (decirme)

que _____ (hacerles falta) dinero y por eso

_____ (haber) que celebrar mi cumpleaños sólo entre familia.

Yo _____ (acabar) de invitar a mi amigo del alma, Federico. Lo

_____ (llamar) una hora antes. Triste, lo _____

(llamar) de nuevo para contarle la mala noticia. Me _____

(decir) que me llevaría a tomar helado el día de mi cumpleaños. Así que

_____ (salir) los dos ese día. Cuando _____

(llegar) a la casa, yo _____ (pensar) mucho en la fiesta triste

que me _____ (esperar). _____ (abrir) la

puerta y — ¡allí _____ (estar) todos mis amigos, gritando

"¡Feliz cumpleaños!". ¡ _____ (tomarme) el pelo mis

papás y Federico!

CAPÍTULO 4 *Lección 2*

Quiz 5 *Estructura*

Parte A (10 puntos)

La maestra interpreta para Oscar lo que expresa Juanita, que habla por señas (*speaks sign language*). Escribe la interpretación de la maestra, según el ejemplo.

Por ejemplo: **Juanita: He querido hablarte por mucho tiempo.**
Maestra: *Dijo que había querido hablarte por mucho tiempo.*

1. J: He pensado llamarte por la operadora especial.

   M: _____

2. J: Quiero que me ayudes con mi proyecto de biología.

   M: _____

3. J: Iré al laboratorio mañana a las tres.

   M: _____

4. J: Después podremos ir a un café o al cine.

   M: _____

5. J: Espero que este proyecto gane el premio de oro.

   M: _____

Parte B (5 puntos)

Carla y sus papás todavía no han hecho las paces. Escribe 1, 2, 3, 4 y 5 indicando el orden en que sucedieron los hechos.

_____ "No les he hablado desde ese día —les doy mensajes escritos."

_____ "Quiero hacerme cargo de mi propia vida —sin discusiones."

_____ "Pero mis padres insisten en controlar mi vida."

_____ "Por último el martes se negaron a prestarme el coche."

_____ "Dos veces me amenazaron con quitarme la mesada."

CAPÍTULO 4 *Lección 2*

Quiz 6 *Estructura* (8 puntos)

Gerardo, que tiene 16 años, se ha encerrado en el baño para quejarse de sus problemas con su familia. Completa la nota que él les escribe a sus padres con el tiempo apropiado del verbo.

Queridos Mami y Papi,

Últimamente Uds. me _____ (castigar) por cualquier cosa. Ayer cuando

_____ (discutir) con ustedes sobre mi mesada, me _____

(amonestar) por ser insolente. Cuando _____ (sacar) una sola mala nota, me

_____ (decir) que no _____ (importarme) mis estudios. Y

anoche me _____ (amenazar) con echarme a la calle. ¡Es el colmo! No creo

que Uds. _____ (otr) hablar de la "nueva generación".

Su hijo

Gerardo

CAPÍTULO 4 *Lección 3*

Quiz 1 Vocabulario (10 puntos)

Laura encontró su baúl de juguetes de cuando tenía ocho años. Di qué personaje se creía que era cuando jugaba con cada juguete.

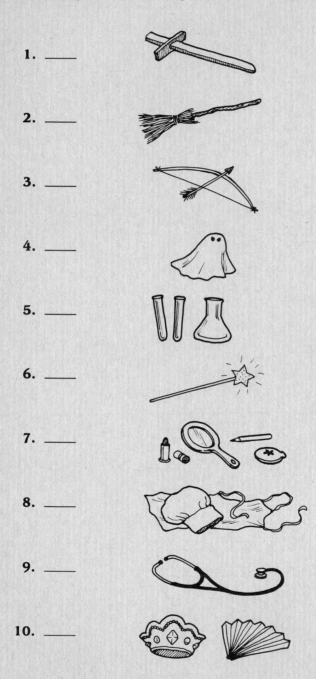

1. ____

2. ____

3. ____

4. ____

5. ____

6. ____

7. ____

8. ____

9. ____

10. ____

a. una modelo

b. una princesa

c. una química

d. un pirata

e. una médica

f. una cazadora

g. una jefa de cocina

h. un fantasma

i. una maga

j. una bruja

CAPÍTULO 4 *Lección 3*

Quiz 2 Vocabulario

Parte A (5 puntos)

Ricardo le escribe un poema a su novia. Ayúdalo a encontrar la/s palabra/s adecuada/s para cada contraste que quiere expresar.

ancha y ajena   **llanto**   **oscuro**   **perdonadora**   **piedad**

Maritza, vida de mi vida,

en este mundo _____ eres mi posada hospitalaria,

eres la luz que rompe la sombra _____,

yo soy pecador mientras tú eres _____,

aunque los demás actúen con dureza, tú actúas con _____,

dulce Maritza, tu magia convierte al _____ en sonrisa.

Parte B (5 puntos)

Flavia y sus amigos están recordando qué hacían en su niñez. Basado en su trabajo actual, escoge qué hacía cada uno de niño(a).

1. ____ Karla, jefa de cocina.

2. ____ Pablo, capitán de un barco.

3. ____ Juan Carlos, químico.

4. ____ Lola, maga en un circo.

5. ____ Feliciano, cazador.

a. Siempre jugaba a los piratas.

b. Le gustaba usar una capa negra con estrellas.

c. Hacía su propio pastel de cumpleaños.

d. Hacía arcos y flechas de las ramas de árboles.

e. De vez en cuando hacía estallar su cuarto.

CAPÍTULO 4 *Lección 3*

Quiz 3 Vocabulario (5 puntos)

De niña, a Ana le encantaba disfrazarse y maquillarse. Escoge de qué se disfrazó en cada caso.

1. Se pintó un ojo completamente de negro y se puso un sombrero negro. (princesa / pirata)

2. Se pintó el pelo de blanco y se dibujó líneas negras en la cara. (vieja / cazadora)

3. Se pintó toda la cara de negro y gris y se puso un impermeable. (maga / bombera)

4. Se puso una nariz falsa y un sombrero negro. (fantasma / bruja)

5. Se maquilló la cara de verde y como si tuviera arrugas. (monstruo / modelo)

CAPÍTULO 4 *Lección 3*

Quiz 4 Estructura

Parte A (10 puntos)

Silvio siempre exagera. Ahora le cuenta a su familia todo lo que vio hoy. Escribe frases completas según el ejemplo.

Por ejemplo: **un perro / comer / tener dos estómagos**
Vi un perro que comía como si tuviera dos estómagos.

1. un señor / caminar / tener mil años

   _____

2. una señora / tener la cara tan pálida / vivir en una cueva

   _____

3. un gato / cazar ratones / ser lince

   _____

4. una niña / andar feliz / llevar un tesoro en el bolsillo

   _____

5. unos viejitos / tener la espalda encorvada / cargar refrigeradores

   _____

Parte B (5 puntos)

Miriam se da cuenta de que todo lo que no creía que iba a pasar ha pasado. ¿Qué cosas eran? Completa las frases con el tiempo correcto del verbo.

1. No creía que Jacinto _____ (recordar) mi nombre.

2. Dudaba que _____ (llamarme).

3. No creía que _____ (invitarme) a visitar su finca.

4. Dudaba que _____ (pedir) un beso al despedirnos.

5. No creía que jamás yo _____ (oír) las campanas de mi boda.

CAPÍTULO 4 *Lección 3*

Quiz 5 Estructura

Parte A (10 puntos)

Hoy Marla se queja de su vida. ¿Qué dice?

Por ejemplo: no despertarse esta mañana
         Ojalá que no me hubiera despertado esta mañana.

1. no ponerse la minifalda azul

_____

2. no encontrar a tantos hombres hostiles en la calle

_____

3. no mudarse a esta ciudad

_____

4. ir a la entrevista para ser modelo

_____

5. seguir mi sueño de ser médica

_____

Parte B   (10 puntos)

Todos hacemos cosas de las que nos arrepentimos. Mira los dibujos y escribe una frase que explique lo que debieron haber hecho para evitar lo que muestra el dibujo.

Por ejemplo: *Ojalá que hubiera estudiado más este año.*

1. _____

2. _____

3. _____

4. _____

5. _____

CAPÍTULO 4 *Lección 3*

Quiz 6 Estructura

Parte A (10 puntos)

A Carlitos no le gustaban ni sus compañeros de clase ni la maestra del año pasado. Completa las frases según el ejemplo.

Por ejemplo: **la maestra / hablar / tener la voz de un cuervo**
La maestra hablaba como si tuviera la voz de un cuervo.

1. Pablo / sentarse / tener la espalda encorvada

_____

2. Marisol / comportarse / estar en casa

_____

3. Josefina / llorar / ser bebé

_____

4. las gemelas Pamela y Marta / vestirse y maquillarse / ir a una fiesta

_____

5. Roberto y yo / ignorarlas / no existir

_____

Nombre _____ Fecha _____

Parte B (12 puntos)

Yolanda ya tiene 30 años y empieza a añorar su niñez. Completa su relato con las palabras que siguen. Usa el tiempo correcto de los verbos.

crecer	existir	tener
estar	ser	terminar

Añoro el mundo de fantasía en el que vivía de niña. ¡Ojalá que

yo nunca _____! Quiero saltar y correr como si

_____ siete años de nuevo, y comer lo que quiero como

si no _____ a dieta. En aquella época comía como si la

comida _____ de aire y era flaca como una escoba. No creí

que mi niñez _____ jamás, pero un día me di cuenta que ya

era adolescente y dudé que _____ mi niñez. Ahora que lo

pienso más, lo que más añoro de esa época era cuando descansaba en el

regazo de mi mamá después de jugar. ¡Qué placer era esa tranquilidad!

CAPÍTULO 5 *Lección 1*

Quiz 1 *Vocabulario*

Parte A (6 puntos)

Éstos son los robots ganadores de la Feria del Robot. Al lado de cada robot, escribe de qué material es o la forma que tiene. Usa las palabras de la lista.

alargado	**metálico**	**rectangular**
cónico	**plástico**	**triangular**

1. _____

2. _____

3. _____

4. _____

5. _____

6. _____

Nombre _____ Fecha _____

Parte B (8 puntos)

Éstos son algunos de los regalos que Felipe recibió para su graduación. Escribe el nombre correcto al lado de cada regalo.

1. _____

2. _____

3. _____

4. _____

5. _____

6. _____

7. _____

8. _____

CAPÍTULO 5 *Lección 1*

Quiz 2 Vocabulario

Parte A (10 puntos)

Para su clase de ciencia, Reyna tiene que construir un robot. Ayúdala a hacer una lista de las piezas que necesita, escogiendo la palabra correcta en cada caso.

Por ejemplo: cuatro pelos / (cuatro pilas)

1. una palanca de mando / una pasta de dientes

2. alambres / mucha hambre

3. abrelatas / antena

4. patas metálicas / zapatos metálicos

5. tubos / tocacintas

6. circuitos / circos

7. alambres y circuitos / cutis de seda

8. horno de microondas / muchísimos tornillos y tuercas

9. corazón plástico / cerebro electrónico

10. ruedas redondas / ruedas cuadradas

Nombre _____ Fecha _____

Parte B (10 puntos)

En la clase de robotología, varios estudiantes están a punto de completar sus robots. Pero a cada uno le falta una pieza. Escribe lo que está pensando cada uno.

Por ejemplo: *Ojalá que tuviera un tornillo.*

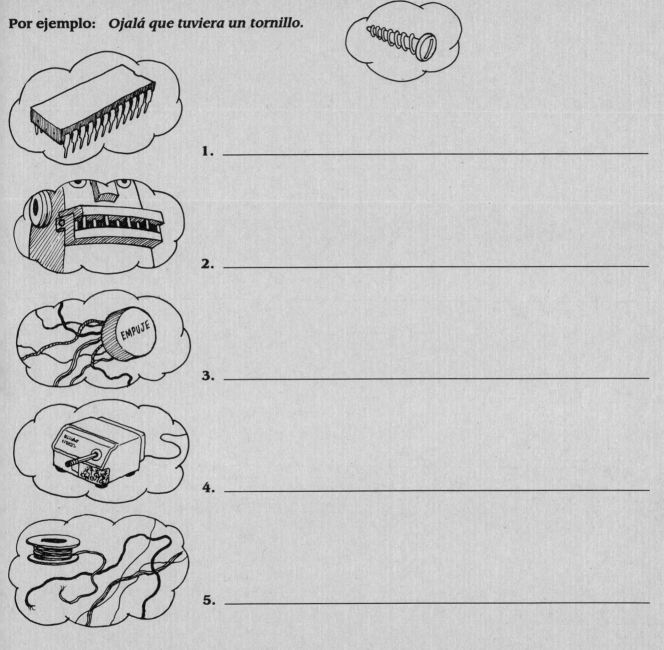

1. _____

2. _____

3. _____

4. _____

5. _____

Parte C (5 puntos)

Pedro se imagina como sería su robot ideal. Completa lo que piensa con las palabras de la lista.

cerebro   corregir   esclavo   gatear   poderoso

Ojalá que tuviera un robot que se pareciera a mí para los momentos

cuando no funciona mi _____. Cuando me despierto y

sólo quiero _____ por el suelo, el robot me serviría de

_____ haciendo la cama, la tarea, etc. Si tuviera un robot, yo

podría _____ los trabajos de mis compañeros pues sabría las

respuestas a todas las preguntas. Finalmente, quisiera un robot capaz de

defenderme, un robot gigantesco y _____.

CAPÍTULO 5 *Lección 1*

Quiz 3 Estructura

Parte A (10 puntos)

Toda la familia de Reyna quisiera tener robots. Escribe lo que cada uno quiere.

Por ejemplo: Reyna / hacerle la tarea
Reyna quisiera un robot que le hiciera la tarea.

1. su hermanito / leerle cuentos

_____

2. su prima Lina / darle su mesada cuando ella la pidiera

_____

3. su mamá / preparar las comidas

_____

4. su papá / ir al trabajo en su lugar

_____

5. el perro / abrir la puerta

_____

Parte B (5 puntos)

En vez de comprar varios robots, los papás de Reyna compraron un ordenador. Escribe el imperfecto del subjuntivo de cada verbo para decir lo que quisieran varios miembros de la familia.

1. Ojalá que me _____ (contar) cuentos de hadas. (el hermanito)

2. Ojalá que _____ (tocar) música además de escribir. (Lina)

3. Ojalá que me _____ (hacer) todos los quehaceres. (la mamá)

4. Ojalá que _____ (poder) decirme qué equipo va a ganar el campeonato.
(el papá)

5. Ojalá que _____ (ser) tan cómodo como el sofá. (el perro)

CAPÍTULO 5 *Lección 1*

Quiz 4 *Estructura* (10 puntos)

Reyna ya construyó su robot pero no está satisfecha. Escribe lo que ella quisiera del robot.

Por ejemplo: **imitar voces humanas**
Ojalá que imitara voces humanas.

1. archivar más información _____

2. tener una palanca de mando para controlarlo _____

3. calentar mis exámenes _____

4. ser de un tamaño minúsculo para llevarlo en el bolsillo _____

5. poder grabar mis sueños _____

6. discutir con mi hermano _____

7. ver mediante sensores especiales _____

8. contestar el teléfono _____

9. subir las escaleras _____

10. comprender la voz humana _____

CAPÍTULO 5 *Lección 1*

Quiz 5 Estructura

Parte A (10 puntos)

Cuando el maestro Mauricio mira a sus alumnos por la mañana ve a un grupo de autómatas. ¿Qué piensa en cada caso?

Por ejemplo: Felipe / poder razonar
Quisiera que Felipe pudiera razonar.

1. Celia / no tropezar con los asientos

   _____

2. los muchachos / no comportarse como robots

   _____

3. todos / hacer la tarea

   _____

4. el aula / tener relojes despertadores

   _____

5. alguien / mostrarme una manera de ayudarlos

   _____

Parte B   (10 puntos)

Ramón y todos sus amigos quisieran tener un robot. Completa las frases para decir lo que desean y lo que hacen mientras tanto.

Por ejemplo: limpiar mi habitación / tener que hacerlo
Quisiera un robot que limpiara mi habitación, pero mientras tanto tengo que hacerlo yo.

1. hacer mis trabajos escritos / copiar los de mi hermano

_____

2. cocinar mis cenas preferidas / comer lo que me den

_____

3. saber un cuarto de lo que sabe Pancha / estudiar con ella

_____

4. ser portátil / usar el ordenador en la casa

_____

5. archivar todos mis sueños / escribirlos en mi diario

_____

CAPÍTULO 5 *Lección 2*

Quiz 1 Vocabulario (10 puntos)

En el centro comunitario, cada miembro hace un proyecto para ayudar a la comunidad. Completa las frases que siguen con palabras de la lista.

aislamiento	enfermedades graves	prevenir
analfabetismo	planificar	productos químicos
desechos	plantar	reciclar
desperdicios		

1. Jaime empezó un programa para _____ las latas de aluminio.

2. Marilú escribió cartas a una compañía que entierra _____ nucleares.

3. Lalo dibujó varios carteles para _____ los incendios.

4. Carolina y María _____ árboles en el parque.

5. Fiona trabajó con un grupo que trabaja para acabar con el _____.

6. Miguel usa su ordenador para _____ una ciudad menos contaminada.

7. Sara visita a gente vieja para sacarla de su _____.

8. Jorge y Chato fueron a la playa a recoger _____ de hospital.

9. Carla vende calculadoras solares para reducir el uso de pilas que contienen

_____.

10. Melinda estudia medicina para combatir _____.

CAPÍTULO 5 *Lección 2*

Quiz 2 Vocabulario (12 puntos)

El club ecológico ha preparado un folleto para sus nuevos miembros. Complétalo usando palabras de la lista.

contaminar	fósiles	magnitud	sobrevivir
cooperación	heredar	prevenir	el suelo
equilibrio	lograr	radioactivos	tomar medidas

Los miembros del club ecológico quieren _____

soluciones para _____ la destrucción de nuestro

planeta. Si queremos _____ debemos dejar de

_____ la atmósfera con los combustibles

_____ y de envenenar _____

enterrando en él los desechos _____. Es necesaria

la _____ de todos los gobiernos del mundo para

_____ que restablezcan el _____

del medio ambiente. Es nuestra responsabilidad hacer conocer la

_____ de estos problemas para que nuestros hijos

puedan _____ un planeta en el que puedan vivir felices.

CAPÍTULO 5 *Lección 2*

Quiz 3 Vocabulario (10 puntos)

Rafa hizo una prueba en forma de cartel para sus compañeros de la clase de ecología. Después de cada frase, escribe la letra del dibujo que corresponde a cada uno.

1. _____ contamina el suelo

2. _____ agota los combustibles fósiles

3. _____ otra fuente de energía

4. _____ se necesita la enseñanza ecológica

5. _____ envenenan la atmósfera

6. _____ prohiben a la gente bañarse

7. _____ hay que reciclar

8. _____ se derrocha mucho en casa

9. _____ no se tira en el bosque

10. _____ hay que embellecer nuestros alrededores

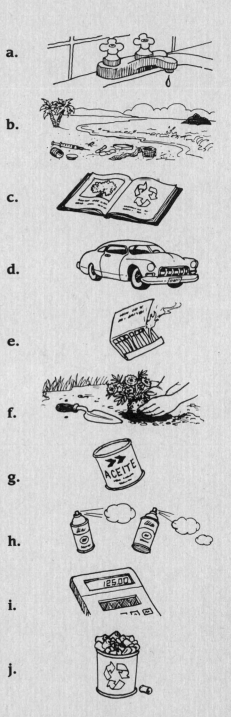

a.

b.

c.

d.

e.

f.

g.

h.

i.

j.

CAPÍTULO 5 *Lección 2*

Quiz 4 Estructura

Parte A (10 puntos)

Después de pensar mucho en los problemas del mundo, Tania tiene varias ideas nuevas. ¿Qué piensa?

Por ejemplo: todos tener buen trabajo / no haber pobreza
  Si todos tuvieran buen trabajo, no habría pobreza.

1. no malgastar la comida / no existir el hambre

_____

2. no haber tantas máquinas / no necesitar (nosotros) más fuentes de energía

_____

3. nosotros embellecer nuestros alrededores / la vida ser más agradable

_____

4. fomentarse los cultivos en el mar / no haber problemas de alimentación

_____

5. (nosotros) ser inteligentes / no malgastar los recursos naturales

_____

Parte B   (10 puntos)

David no habría hecho ciertas cosas si hubiera sabido ciertas cosas de antemano. ¿Qué lamenta?

1. Si _____ (saber) que estaba prohibido bañarse en esta playa, no _____ (nadar).

2. No _____ (envenenar) tus plantas si tú me _____ (decir) que eso no era agua.

3. No _____ (decir) nada a la prensa si _____ (saber) que esa información era un secreto.

4. Si _____ (tener) el medicamento nuevo, no _____ (sufrir) tanto.

5. Si no _____ (caminar) por esta playa, no _____ (lastimarme) el pie pisando esos trozos de acero.

CAPÍTULO 5 *Lección 2*

Quiz 5 Estructura

Parte A (10 puntos)

Martín Ramos es un detective que investiga un delito ecológico. En su informe a su jefa le cuenta lo que probablemente pasó. Completa el informe.

Por ejemplo: enterrar las cenizas cuando ya era de noche
Enterrarían las cenizas radioactivas cuando ya era de noche.

1. usar estos tubos cuando las enterraron

   _____

2. conducir este coche cuando llegaron a enterrarlas

   _____

3. descubrir que nosotros veníamos cuando las dejaron

   _____

4. arrojar sus herramientas por allí cuando se fueron

   _____

5. saber que era un delito cuando lo hicieron

   _____

Parte B   (10 puntos)

Melitón es un sabelotodo que siempre da consejos a los demás. Completa sus frases.

Por ejemplo: tú / reciclar esa lata de aluminio
Si yo fuera tú, reciclaría esa lata de aluminio.

1. Mari / no tirar el aceite en la basura

_____

2. él / recoger lo que arrojó al suelo

_____

3. ella / no portarse así

_____

4. la maestra / no darnos un examen mañana

_____

5. el presidente / destruir las armas nucleares

_____

CAPÍTULO 5 *Lección 2*

Quiz 6 Estructura

Parte A (10 puntos)

Marta se presentó como candidata para ser presidenta del gobierno estudiantil pero perdió las elecciones. Ahora critica las medidas que tomó la nueva presidenta y dice lo que ella hubiera hecho si la hubieran elegido a ella. ¿Qué dice?

Por ejemplo: **reducir la tarea**
Yo habría reducido la tarea si Uds. me hubieran elegido a mí.

1. reciclar el papel en la oficina

   _____

2. proteger los derechos de los estudiantes

   _____

3. plantar más árboles en nuestros alrededores

   _____

4. hacer grupos de voluntarios para ayudar a la gente anciana

   _____

5. poner hornos de microondas en la cafetería

   _____

Parte B (10 puntos)

Alex se imagina como los "animales-robots" podrían solucionar muchos de los problemas actuales del mundo. Completa lo siguiente.

Primero, me imagino las "moscas-robot". Si _____ (existir) unos

millones de ésos, no _____ (haber) más contaminación, porque

ellas _____ (volar) por el aire y _____ (comerse) los

desechos. Si yo _____ (tener) diez millones de dólares y unos

ayudantes, las _____ (poder) construir, de eso estoy seguro.

Otro robot que me imagino es el "cangrejo mecánico". Si nosotros

_____ (saber) hacer ese robot _____ (tener) los mares

limpios. El cangrejo _____ (recoger) toda la basura del fondo

del mar y la _____ (reciclar) allí mismo. Qué buenos robots, ¿no?

CAPÍTULO 5 *Lección 3*

Quiz 1 Vocabulario (10 puntos)

Una nave tripulada por diez extraterrestres llegó a la Tierra pero regresó pronto a su planeta. Cada extraterrestre quería regresar por distintas razones. Subraya la razón más apropiada de cada frase.

1. Debido a la violencia la Tierra está llena de (cárceles / calvicie).

2. Sólo hay un sol que sale al (almacenar / amanecer).

3. Hay mucho(a) (desamparo / inmortalidad) entre los seres humanos.

4. A veces, para reducir las (pesadillas / deudas) los gobiernos pelean en guerras.

5. Han encontrado muchas enfermedades horribles, como el (cansancio / SIDA).

6. Nadie se preocupa por el (bienestar / desempleo) de los ancianos.

7. Creo que este experimento con animales que razonan resultó un (éxito / fracaso).

8. Las (naves espaciales / fósiles) que ellos han construido muestran poca inteligencia.

9. Estos animales tienen una enfermedad que les afecta al final de su vida: se llama (muerte / ancianidad).

10. Ellos quieren que nosotros les enseñemos a (hacer durar la paz / dejar de herirnos) pero eso lo tienen que aprender ellos mismos.

Nombre _____ Fecha _____

CAPÍTULO 5 *Lección 3*

Quiz 2 Vocabulario

Parte A (10 puntos)

Juan y Francisca escribieron un breve poema para el periódico del colegio. Complétalo con las palabras de la lista y con el verbo en el tiempo correcto.

ayudarnos el uno al otro	**descubrir soluciones sabias**
borrar	**vivir sin temor**
dejar de juzgarnos	

Ojalá que nosotros _____ porque entonces nos aceptaríamos el uno al otro.

Ojalá que dejáramos de herirnos porque entonces _____.

Ojalá que usáramos todo el cerebro porque entonces _____.

Ojalá que _____ el desamparo porque entonces todos seríamos fuertes.

Ojalá que aceptáramos la muerte porque entonces _____.

Parte B (5 puntos)

Todos soñamos con un milagro u otro. Néstor preguntó a sus parientes qué milagros deseaban. Escribe la letra del dibujo al lado de la frase que indica el milagro que podría querer cada persona.

1. _____

2. _____

3. _____

4. _____

5. _____

a. Ojalá que mi hijo no fuera tan perezoso.

b. Quisiera que descubrieran una vacuna contra la calvicie.

c. Sería maravilloso no tener ninguna fobia.

d. Si yo tuviera sólo un segundo sin tensión…

e. Yo desearía que la gordura fuera aceptada por la gente.

Parte C (5 puntos)

Ofelia y su amiga Flor se imaginan que inyecciones solucionarían todos sus problemas. Escribe la letra de la inyección al lado del problema que aliviaría.

1. _____ No quiero envejecer nunca.

2. _____ Tengo que estudiar para el examen pero no tengo energía.

3. _____ A veces tengo miedos tontos.

4. _____ A veces siento todo el dolor del mundo.

5. _____ Quiero pagar todas mis deudas.

a. una inyección de dinero

b. una inyección de alegría

c. una inyección contra las fobias

d. una inyección de inmortalidad

e. una inyección contra la pereza

CAPÍTULO 5 *Lección 3*

Quiz 3 Estructura

Parte A (10 puntos)

Mañana Rafael tiene que presentar su robot en la Feria de Ciencia pero todavía no lo ha terminado. Le pide a cada uno de sus amigos que haga algo para ayudarlo. Completa lo siguiente.

Por ejemplo: **Pedro / ayudarme con el circuito**
            A Pedro le dijo que lo ayudara con el circuito.

1. María / reunir las tuercas y los tornillos

_____

2. Juan / cargar las baterías

_____

3. Silvia / instalar los programas en el robot

_____

4. Joaquín / hacer un diagrama

_____

5. a mí / poner todo junto

_____

Parte B (5 puntos)

José es un mecánico muy, pero muy distraído. Siempre tiene que preguntarles de nuevo a sus clientes qué querían que él hiciera con sus coches. Completa lo que dice.

1. ¿Quería Ud. que _____ (cambiar) las llantas?

2. ¿Me pidió que _____ (ponerle) aceite nuevo?

3. La Sra. Pérez esperaba que _____ (componer) el volante, ¿verdad?

4. Su esposo quería que _____ (probar) el aire acondicionado también, ¿no es cierto?

5. ¿Es verdad que me pidió que _____ (vender) su coche en vez de arreglarlo?

Nombre _____ Fecha _____

CAPÍTULO 5 *Lección 3*

Quiz 4 Estructura (15 puntos)

Marisa escribió un cuento breve titulado "La inyección" pero todavía le faltan unas palabras. Llena los espacios con el tiempo correcto de los verbos.

El presidente dijo que (nosotros) _____ (ir) a los refugios

subterráneos para que no _____ (morirnos) debido a los

efectos de los rayos del sol. Dijo que por la contaminación los rayos

_____ (hacernos) mucho daño y que _____

(tener) que quedarnos bajo la tierra hasta que _____

(encontrarse) alguna solución. Después de vivir tres años sin ver el sol ni las

estrellas, anunciaron que pronto (nosotros) _____ (salir) de

nuevo al aire libre: habían descubierto una inyección que _____

(protegernos). El presidente dijo que _____ (presentarse) al

centro de inyecciones dos veces antes de salir, que las inyecciones

_____ (evitar) que se nos _____ (quemar) la

piel. Yo creía que _____ (haberse) terminado la crisis pero

en realidad sólo empezaba otra más horrible. La inyección garantizaba

que no nos _____ (dañar) la piel. ¿Cómo? Haciendo

que, poco a poco, los cuerpos _____ (perder) su color hasta

que _____ (volvernos) invisibles y los rayos del sol

_____ (pasar) por nosotros. Así que estamos a salvo pero sin

poder vernos el uno al otro. Cada uno está completamente solo, solo, solo…

© Glencoe

CAPÍTULO 5 *Lección 3*

Quiz 5 *Estructura*

Parte A (10 puntos)

Fiona le cuenta a un amigo lo que decían varios compañeros de la clase de sociología acerca de los problemas del mundo. ¿Qué dice?

Por ejemplo: Marco Felipe / no usarse las drogas / no haber pobreza
Marco Felipe dijo que no se usarían las drogas si no hubiera pobreza.

1. Emilia / no haber temor / haber paz por todas partes

_____

2. Lalo / ser un milagro / lograrse borrar la deuda

_____

3. Silvio / acabarse el delito / construirse más cárceles

_____

4. Leonor / evitarse el desempleo / mandarse viajes tripulados a otros planetas

_____

5. Flavio / reducirse la contaminación del espacio / lanzarse menos cohetes

_____

Parte B (10 puntos)

Yasmín le cuenta a su hermana qué decía el libro que acaba de leer: *Contra la tensión.* Completa lo que dice con el tiempo correcto de cada verbo.

1. Dijo que uno no _____ (deber) pensar en sus fracasos sino en sus éxitos.

2. Sugirió que (tú) _____ (deshacerse) del temor para alcanzar la felicidad.

3. Según el libro, fue necesario que la autora _____ (aceptar) la muerte para ver el milagro que es la vida.

4. Recomendó que la gente que tiene cáncer _____ (reírse) cinco veces al día y que eso es bueno para el bienestar de cualquier persona.

5. Dijo también que los problemas comunes como la gordura y la calvicie son, en parte, reacciones a

la tensión y que el que padece de estos problemas _____ (comprar) su otro libro *Más allá del estrés.*

CAPÍTULO 6 *Leccion 1*

Quiz 1 Vocabulario

Parte A (5 puntos)

Sergio le cuenta a su amigo quiénes ganaron las elecciones del gobierno estudiantil. Sin embargo, no recuerda ni un nombre, sólo los rasgos físicos de cada uno. Escribe el nombre debajo de su descripción.

1. La presidenta tiene una sonrisa fácil, un semblante abierto y la cara redonda.

   _____

2. El vicepresidente tiene las mejillas hundidas, una mirada triste y ojeras grandes.

   _____

3. El secretario tiene la nariz chata, la boca grande y los labios carnosos.

   _____

4. La tesorera tiene la cara alargada, la nariz aguileña y las mejillas prominentes.

   _____

5. El representante del comité de los padres tiene las cejas oscuras y abundantes, el pelo ondulado y la frente ancha.

   _____

© Glencoe

Nombre _____ Fecha _____

Parte B   (5 puntos)

Guillermo y su hermana Dalia están hablando de una nueva compañera en el colegio. Completa los chismes llenando los espacios con las palabras correctas en su forma correcta.

africano(a)   madrugador/a   mudo(a)   oxigenado(a)   vivo retrato

Guillermo: Oye, hermanita. ¿Viste la nueva chica? Parece que es _____.

Dalia: ¿Cómo lo sabes?

Guillermo: Porque habla por señas, con las manos.

Dalia: Es muy _____. Llega al colegio a las siete en punto. Además, es el

_____ de nuestra prima Isabel.

Guillermo: ¡No es cierto! La nueva chica tiene los rasgos más _____ y aunque tenía

el pelo negro ahora lo tiene _____.

Dalia: ¡Ay, Guillermo! Lo observas todo. ¡Me parece que estás enamorado!

CAPÍTULO 6 *Lección 1*

Quiz 2 *Vocabulario*

Parte A   (5 puntos)

Cada uno de los amigos de Celia se comporta de una manera particular cuando está muy preocupado(a). Después de cada frase, escribe la palabra que la describe.

1. _____ Cuando estoy muy nerviosa, me es
difícil hablar.

2. _____ Si estoy ansioso, no oigo lo que me
dicen.

3. _____ De vez en cuando, cuando tengo mucho
miedo, no puedo mover la pierna
derecha.

4. _____ Si estoy muy preocupada, ando por las
calles sin mirar adonde voy.

5. _____ Después de romper con mi novio, fue
como si no tuviera brazos para abrazar
a nadie.

a. ciego(a)

b. manco(a)

c. tartamudo(a)

d. cojo(a)

e. sordo(a)

Parte B   (5 puntos)

Calixta siempre reacciona con emociones fuertes. Escoge la expresión más lógica para completar cada frase.

1. Me enrojezco cuando (estoy deprimida / se burlan de mí).

2. Me echo a reír cuando (leo las tiras cómicas / juego béisbol).

3. Enmudezco completamente si la maestra me (sonríe / reprende).

4. Me echo a andar hacia el campo cuando necesito (superarme / estar sola).

5. Me enfurezco cuando me dicen que soy (risueña / parecida a mi hermana mayor).

CAPÍTULO 6 *Lección 1*

Quiz 3 Vocabulario

Parte A (5 puntos)

Gregorio vive frente a un parque y siempre observa a la gente que pasea con sus perros. Él ha notado que frecuentemente persona y perro comparten ciertas características. Escribe la letra de la pareja que demuestra cada descripción.

1. _____ Ambos son de carácter altivo.

2. _____ Los dos son muy tranquilos.

3. _____ Ellos son reservados.

4. _____ Son los más agresivos del parque.

5. _____ ¡Qué perezozos! ¿no?

Parte B   (10 puntos)

En la oficina de correos hay un cartel que muestra la cara del hombre más peligroso del país. Escoge las palabras que lo describen.

1. Tiene la nariz (respingada / chata).

2. Tiene el pelo (lacio / rizado).

3. Tiene las cejas (abundantes / escasas).

4. Tiene los ojos (almendrados / pequeños).

5. Tiene los rasgos (asiáticos / europeos).

6. Tiene las pestañas (largas / crespas).

7. Tiene la cara (redonda / rectangular).

8. Tiene las mejillas (prominentes / hundidas).

9. Tiene la boca (chica / grande).

10. Tiene los labios (finos / carnosos).

Nombre _____ Fecha _____

CAPÍTULO 6 *Leccion 1*

Quiz 4 Estructura

Parte A (10 puntos)

La abuela de Jaime le habla por teléfono y le pregunta qué están haciendo todos. Contesta escogiendo verbos de la lista.

| corregir exámenes | maquillarse los ojos | recoger la ropa |
| escribir una carta | proteger el césped | tirar basura |

Por ejemplo: *Maribel está recogiendo la ropa.*

1. _____

2. _____

3. _____

4. _____

5. _____

Parte B (10 puntos)

Roberta le cuenta a su novio cómo pasó el día. Escribe frases completas según el ejemplo.

Por ejemplo: **salir de la casa / moverse como un robot**
Salí de la casa moviéndome como un robot.

1. ir al colegio / correr

_____

2. salir / pensar en el maestro de matemáticas

_____

3. caminar a casa / enfurecerse por una nota mala

_____

4. seguir / sentirse deprimida en casa

_____

5. estar bien ahora / reírse de tus chistes

_____

CAPÍTULO 6 *Lección 1*

Quiz 5 Estructura (14 puntos)

Amalia estaba admirando el robot que acababa de construir cuando le pasó algo muy sorprendente. Completa lo siguiente con el gerundio del verbo.

Estoy _____ (respirar) fuerte todavía. ¡Qué espanto! Claro, de

niña andaba _____ (decir) que mis muñecas hablaban

conmigo; hasta pasaba toda la tarde _____ (discutir) con ellas

asuntos de mucha importancia. Pero, ¿quién hubiera creído esto?

Hoy por la mañana apareció Carlos, un amigo, a pedir un circuito para el

robot que él está _____ (construir). Todos los de la clase de

ciencia estamos _____ (vivir) para los robots, casi no

dormimos, _____ (tratar) de terminar este proyecto. Por eso,

cuando Carlos llegó, iba _____ (tropezarse) con las cosas. Ni

siquiera sabía si era de día o de noche. Poco después terminé el robot

_____ (sonreírse). ¡Estaba perfecto!

Lo estaba _____ (mirar) cuando dije en voz alta: ¡Ojalá que

pudieras hablar, robot! Casi me muero cuando oí su voz: "¡Chica! ¡Hablo y

hago mucho más!" Primero, salí _____ (correr) del taller.

Hasta empecé a llorar, _____ (creer) que estaba en alguna

pesadilla horrible. Pero cuando no pasó nada, iba _____

(perder) el miedo. Me eché a reír _____ (pensar) que es sólo

una cosa metálica que yo misma hice de alambres y circuitos, que no puede

hablar, que todo era culpa de mi imaginación demasiado activa. O

radioactiva. "Hola, Amalia", me dijo alguien, _____ (salir) del

taller a buscarme. "¿No me conoces? Me llamo Carlos." Y en ese instante

apareció Carlos, con el control remoto en la mano y con lágrimas en los ojos

de tanta risa.

CAPÍTULO 6 *Lección 2*

Quiz 1 Vocabulario (20 puntos)

Manuel y su hermano pelearon muy fuerte. Cuando llegó su papá, estaban seguros que los iba a castigar. Completa lo siguiente con las palabras o frases correctas para ver qué pasó. Usa el tiempo verbal correcto.

abrir y cerrar de ojos	**darle un codazo**	**la espalda**
clavarle la mirada	**echarle**	**fruncir**
dar un suspiro	**encogerse**	**sacarle**
darle igual		

Todo empezó en la clase de biología cuando Javier _____

a Manuel para que prestara atención. Manuel _____ una

mirada de furia. La maestra _____ las cejas y luego

volvió _____ para seguir escribiendo en la pizarra. Los

dos _____ porque a esa maestra _____

quién había empezado una pelea en su clase; en un _____

los hubiera mandado a la oficina de la directora. Manuel _____

a Javier con saña. Javier le contestó _____ de hombros y

_____ la lengua. Manuel trató de agarrarle la lengua pero se

cayó de su asiento. "¡Javier y Manuel!", chilló la maestra. "¡Vayan a la oficina de

la directora ahora mismo!" Pero ya estaban los dos en el suelo, muertos de risa.

CAPÍTULO 6 *Lección 2*

Quiz 2 Vocabulario

Parte A   (5 puntos)

Magda está tratando de enseñar a su hermanito Coco cómo decir cosas con el cuerpo en vez de con palabras, pero él se confunde mucho. Escoge la palabra más apropiada para completar cada frase.

1. Cuando le guiñas el ojo a alguien es para indicarle que le estás tomando el (pelo / pie).

2. Para reprender a alguien —como hace mamá— apúntale con el (ojo / dedo).

3. Si estás arrepentido, por ejemplo, después de un castigo, lo indicas bajando los (párpados / ojos).

4. Si te molestan los chismes de los demás, tápate los (ojos / oídos).

5. Para indicar que no quieres nada con alguien debes volver la (frente / espalda).

Parte B (5 puntos)

Cuando Coco oye algunas de las frases más pintorescas que usa su hermana, las ve tal como suenan. Después de cada escena, pon la letra de la frase que oyó.

1. _____

2. _____

3. _____

4. _____

5. _____

a. Ayer los del club trabajamos codo a codo.

b. Pablo me dijo que no pestañeara si no quiero perder una oportunidad.

c. ¡Ay, esa Dalia! No le quita los ojos de encima a su novio.

d. Cuando papá me dijo que no me prestaba el coche, perdí los estribos.

e. Odio a Marco porque siempre les presta oídos a la gente envidiosa.

CAPÍTULO 6 *Lección 2*

Quiz 3 Vocabulario

Parte A (5 puntos)

Miguel estudia para aprender a dibujar tiras cómicas. Ésta es una tarea que hizo. Escribe la letra de la descripción de cada acción al lado del dibujo.

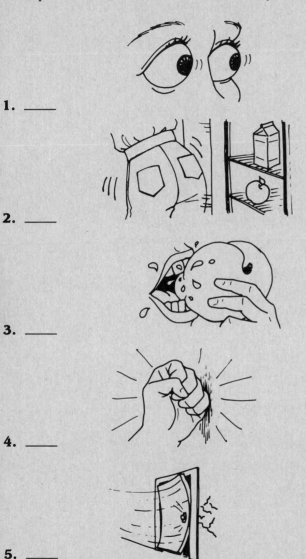

1. ____

2. ____

3. ____

4. ____

5. ____

a. dar un golpazo a la pared

b. dar un vistazo a algo

c. dar un portazo

d. dar un mordiscazo

e. dar un caderazo a la puerta

Parte B (5 puntos)

Patricia observó que usamos la boca y la lengua para decir muchas cosas sin decir palabras. Completa lo siguiente con palabras de la lista. (Se puede usar una palabra más de una vez.)

boquiabierta　　　　**la lengua**　　　　**lenguas**　　　　**un suspiro**

1. Siempre le saco _____ a mi primo para burlarme de él.

2. Cuando una película me encanta me hago _____ de ella con todos mis compañeros.

3. A veces cuando veo a un muchacho guapísimo, me quedo _____ sin darme cuenta.

4. Si el muchacho no se da cuenta, doy _____ de alivio. Si se da cuenta, me enrojezco hasta el pelo.

5. En las clases, tengo que morderme _____ para no contarle chistes a mi amiga.

CAPÍTULO 6 *Leccion 2*

Quiz 4 Estructura (5 puntos)

¡Qué chocazo! El policía que llegó al accidente anotó el testimonio de diez personas o grupos de personas. Junto a cada persona o grupo, escribe la letra de lo que dijo cada uno.

a. Yo estaba comprando comida cuando oí un ruidazo.

b. Yo andaba dando vueltas en coche cuando vimos al pobre perrito.

c. Yo estaba mirando a mi esposo porque él gritaba.

d. Me acerqué a la bocacalle cuidando al perro que estaba en plena calle.

e. Nos estábamos acercando a la bocacalle cuando vimos al perro en medio de la calle.

_____ 1.

_____ 2.

_____ 3.

_____ 4.

_____ 5.

CAPÍTULO 6 *Lección 2*

Quiz 5 Estructura

Parte A (10 puntos)

Francisco es un estudiante de intercambio de Colombia que está en los Estados Unidos estudiando inglés. Completa la carta que le escribe a su familia en Colombia con el tiempo correcto de cada verbo.

Querida familia:

Los _____ (añorar) mucho. Todavía no _____

(acostumbrarse) a estar lejos de Uds. Aquí toda la gente es muy amable conmigo pero no es lo

mismo. _____ (estudiar) mucho para ver si puedo terminar antes los cursos.

_____ (querer) pasar este verano en Colombia. Ahora son las seis de la tarde

aquí y las ocho en Colombia y me los imagino en casa. Tú, mamá, _____

(preparar) la comida, papá _____ (leer) el periódico y Amalia, como de

costumbre, _____ (hablar) por teléfono. _____ (ahorrar)

mucho dinero para comprarles regalos a todos y ya compré mi pasaje de avión.

_____ (salir) el 15 de diciembre y _____ (llegar) a Bogotá

el mismo día a las diez de la noche. Los veo entonces.

Besos y abrazos,

Panchito

Parte B (7 puntos)

Doña Roberta habla por teléfono con su nueva vecina que es una señora muy habladora. Completa sus comentarios con el tiempo presente o progresivo del verbo según el contexto.

1. Ahora mismo _____ la cena para mi esposo. (preparar)

2. Siempre _____ el jabón "La Milagrosa" para lavar los platos. (usar)

3. En este momento _____ los huevos en margarina "La Sirena". (freír)

4. ¿Mi esposo? _____ el Heraldo en la sala. (leer)

5. Nosotros lo _____ todos los días pero yo no lo _____. (recibir, leer)

6. Ah, mira, _____ mi telenovela preferida. Te llamo cuando termine, ¿eh? (empezar)

CAPÍTULO 6 *Lección 2*

Quiz 6 Estructura

Parte A (5 puntos)

Guillermo está tratando de encontrar un rato libre para encontrarse con Lala, su novia. Completa lo siguiente con el presente o el presente progesivo del verbo, según su agenda (*datebook*).

lunes 8:30 - 2:00 escuela
2:00 - 4:00 ensayar obra de teatro
6:00 - 7:00 clase de trompeta

martes 8:30 - 2:00 escuela
2:00 - 4:00 ensayar obra de teatro

miércoles 8:30 - 2:00 escuela
2:00 - 4:00 ensayar obra de teatro
5:00 entrevista en la fábrica
6:00 - 7:00 clase de trompeta

jueves 8:30 - 2:00 escuela
2:00 - 4:00 ensayar obra de teatro

viernes 8:30 - 2:00 escuela
2:00 - 4:00 ensayar obra de teatro
6:00 - 7:00 clase de trompeta
7:30 - 11:00 cuidar a los hermanos Sandoval

1. Todas las tardes _____ (ensayar) con el club de teatro.

2. No tengo tiempo los viernes por la noche porque _____ (cuidar) a dos niños todas las semanas.

3. Los lunes, después de cenar, _____ (practicar) la trompeta.

4. El miércoles no puedo después del ensayo porque desde hace un mes _____ (buscar) trabajo para el verano.

5. _____ (pensar) que el martes por la tarde es el mejor momento para encontrarnos.

Parte B (10 puntos)

Nina saca fotos a los miembros de su familia sin avisarles. ¿Qué está haciendo cada persona?

Por ejemplo: **fruncir las cejas**
　　　　　　　　Papá está frunciendo las cejas.

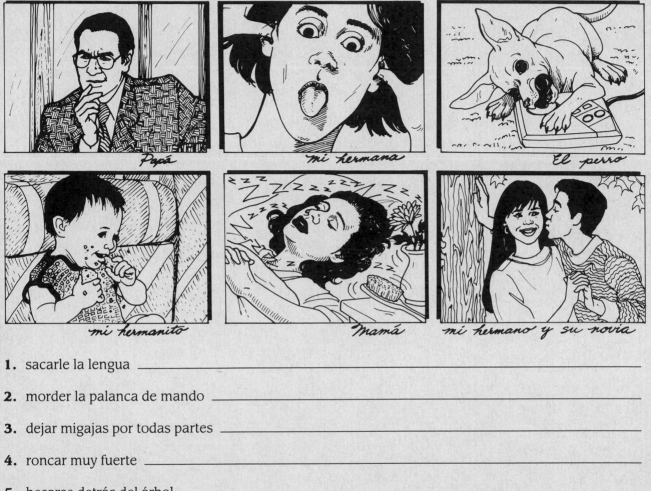

Papá　　　　　　*mi hermana*　　　　　*El perro*

mi hermanito　　　　　*Mamá*　　　　*mi hermano y su novia*

1. sacarle la lengua _____

2. morder la palanca de mando _____

3. dejar migajas por todas partes _____

4. roncar muy fuerte _____

5. besarse detrás del árbol _____

Nombre_____ Fecha_____

CAPÍTULO 6 *Lección 3*

Quiz 1 Vocabulario

Parte A (5 puntos)

Claudia tiene una razón para todo. Completa lo siguiente con palabras de la lista.

atarme	lealtad	los requisitos
el qué dirán	necesidad	

1. No salgo con José Antonio por _____.

2. Estoy estudiando francés para cumplir _____ del curso.

3. Lo único que _____ a este pueblo son el trabajo y mi novio.

4. Siento una gran _____ a los miembros del equipo, por eso sigo jugando.

5. Trabajo como mesera por _____. Es que mis padres no me dan dinero.

Parte B (5 puntos)

Jimena es una típica chica rebelde que va en contra del qué dirán. Escoge la palabra correcta para completar lo siguiente.

1. Aunque la gente diga (requisitos / estupideces), ella sigue vistiéndose toda estrafalaria.

2. Su mamá llama a sus amigos (huracanes / haraganes), pero, la verdad, son personas que se tienen mucha lealtad.

3. A diferencia de las otras chicas, se viste de ropa (común / estrafalaria).

4. No lo parece, pero detrás de su disfraz Jimena es alguien que (aborrece / borra) la violencia.

5. Era una chica como las demás hasta que (cortésmente / abruptamente) cambió de estilo. Eso fue como hace un año.

© Glencoe

CAPÍTULO 6 *Lección 3*

Quiz 2 *Vocabulario*

Parte A   (5 puntos)

Gloria está en la cafetería cuando oye lo que dicen unos muchachos almorzando en otra mesa. Ella adivina a quién se refieren. Escribe la letra de la persona con la frase que la describe.

1. _____ "… Esa muchacha es más mimada que una gata…"

2. _____ "… Está allí, acurrucado en el rincón como si tuviera miedo de nosotros…"

3. _____ "… No me gusta esa chica, pues tiene la mirada más descarada que he visto…"

4. _____ "… Ahí viene, siempre con pinta de mendigo…"

5. _____ "… ¡Ni los mira! Ella es la pura altivez…"

a. Jimena, la rebelde

b. Esteban, que siempre se viste de ropa sucia y rota

c. Gala, hija de padres millonarios que le dan todo lo que ella desea

d. Federico, un nuevo alumno

e. Silvia, que se cree mejor que los demás

Parte B   (5 puntos)

Gonzalo escribió un comentario sobre la gente desamparada para el periódico de la ciudad. Completa lo siguiente con palabras de la lista.

altivez	el qué dirán	mendigo(a)
desgarbado(a)	indiferencia	

Yo, como tanta otra gente, aborrezco el hecho de que en esta ciudad haya

gente desamparada. Pero, ¿qué hacer? Pues, en las últimas semanas he

conocido a uno de esos cuerpos _____ que vemos en la

calle. Se llama Gilberto y es _____. No es su carrera

preferida, es lo único que le queda. "Estoy enfermo, tengo poco dinero. Pero

lo peor de vivir de esta manera es las miradas de _____ que

uno tiene que aguantar, como si fuéramos basura…" También lo lastima la

_____ de la gente. En fin, es una persona abandonada. El

primer paso, digo yo, hacia la solución de este grave problema es que cada

quien deje de escuchar _____ y empiece a tratar a estas

personas como las personas que son: nuestros hermanos.

CAPÍTULO 6 *Lección 3*

Quiz 3 Vocabulario

Parte A (5 puntos)

Mario le está enseñando unas fotos de cuando era niño a su novia. Escribe la letra de cada foto al lado de su descripción.

a.

b.

c.

d.

e.

1. _____ Aquí me están enseñando a despedirme cortésmente.

2. _____ Sacaron esta foto cuando me estaba echando una siesta.

3. _____ Aquí se ve que no es muy juicioso sentarse en el respaldo de una silla.

4. _____ Como puedes ver, siempre fui el mimado de la familia.

5. _____ De niño me entusiasmaba mucho con cualquier juguete.

Parte B (5 puntos)

Marlena no tiene miedo de decir lo que piensa. Completa sus comentarios con las palabras correctas.

1. Aunque tengo _____ de _____, he trabajado duro para conseguir todo lo que tengo. (mimada, semblante, pinta)

2. Como te imaginas, prefiero _____ a _____. (la franqueza, los chismes, el qué dirán)

3. El día que me veas _____ en un rincón, querrá decir que he perdido la

   _____ en mí misma. (confianza, acurrucada, descarada)

4. Aunque me veas una _____ de muñeca, _____ soy muy fuerte. (a pesar de eso, pinta, indiferencia)

5. _____, sin todos los disfraces, _____ de mi ser soy como tú: una persona con necesidad de dar y recibir amor. (en el fondo, al fin y al cabo, mi rostro de mimada)

Nombre _____ Fecha _____

CAPÍTULO 6 *Lección 3*

Quiz 4 *Estructura* (12 puntos)

Alejandra acaba de escribir este cuento para la revista literaria. Complétalo con *por* o *para*.

_____ fin terminé mis deberes. Hacía mucho calor y sólo pensaba en poder salir

_____ la playa. Hasta había comprado un nuevo traje de baño de dos piezas _____

esta ocasión _____ sólo diez dólares—pero eso es otro cuento. Ya iba _____ el

garaje cuando sonó el teléfono, era mi amiga Ana.

"Quiero pedirte una cosita, es urgente", me dijo.

Hace más de tres meses que no me llama y ahora me llama _____ pedirme cosas. Pero

bueno, _____ eso son los amigos.

"Estaba a punto de marcharme _____ la playa, Ana. ¿Qué quieres?"

"Préstame tu falda", me dijo.

Silencio. Yo no sabía qué decir, pues _____ todo el tiempo que la conocí vestía ropa de

muchacho; preferiría andar con ropa de mendigo en vez de ponerse un vestido. ¿Por qué este cambio

anunciado tan abruptamente?

"Sí...", contesté lentamente. "Pero estoy realmente preocupada _____ ti. Hablo con Ana, ¿no?

¿Voy _____ tu casa con la falda o voy _____ el doctor?"

"Cálmate", me dijo. "¿Conoces a Ramón, del equipo de fútbol, con esas piernas?..."

CAPÍTULO 6 *Lección 3*

Quiz 5 Estructura (10 puntos)

Al llegar a casa, Carlos encontró muchos mensajes en su contestadora telefónica. Complétalos con *por* o *para*.

1. Hola, Carlos… soy Chava… estoy llamando _____ hablar con tu mamá.

2. Hola, Carlos… ¿todavía vendes tu bicicleta _____ cien dólares?

3. Carlitos… es tu abuelito… ¿Quieres venir a la casa _____ cenar hoy?

4. Carlos… soy Noemí… estoy contestando tu mensaje… preguntabas _____ mí en la tienda, ¿no?

5. Carlos… otra vez Noemí… me vas a creer loca… fue otro Carlos… espero que me disculpes _____ la otra llamada.

6. Carlos… es tu novia… gracias _____ los claveles rojos… sabes que es mi color preferido.

7. Carlos… Roberto… oye, préstame veinte, hombre… esta vez te los devolveré pronto… es que lo necesito _____ pagar otra deuda.

8. Hola, amigo… soy Pancho… mañana paso _____ tu casa a las ocho y media… ¿está bien?

9. ¡Carlos! ¡Carlos!… soy Anita… son las diez… sal de tu casa inmediatamente… ¡hay OVNIS _____ todas partes!

10. Buenas noches, Sr. Váldez… estamos haciendo una encuesta sobre la campaña presidencial… Si las elecciones fueran mañana, ¿_____ quién votaría?

CAPÍTULO 6 *Lección 3*

Quiz 6 Estructura (13 puntos)

El ordenador de Sara se volvió loco y dejó en blanco muchas palabras de su carta. Corrígela.

Querido Felisberto,

Ayer te busqué _____ todas partes _____ decirte que me arrepiento

_____ la pelea del lunes. Tú sabes que andaba muy entusiasmada _____

la mañana _____ el viaje que planeábamos. Tantas veces que había pensado

irme _____ San Francisco, sólo _____ ver la bahía y el famoso

puente. Fui _____ los mapas _____ encontrar la mejor ruta. Tal vez

nos preocupábamos demasiado _____ llegar rápido, tal vez no deberíamos

salir tan abruptamente, tal vez una ruta es mejor que otra. Y yo con las maletas hechas

_____ el viaje, y las esperanzas también. ¿_____ qué no vamos en avión

o en autobús? No cabe duda que no quieres hablar conmigo—¡tantas veces que te he llamado

y no contesta nadie! Pero yo sí quiero hacer las paces contigo. _____ eso te pido

perdón con esta carta.

Tu novia, la que al fin y al cabo te quiere

Sara

Answer Key

Capítulo 1   Lección 1

Quiz 1   Parte A

1. Bombas y balas
2. Bugs Bunny y Compañía
3. ¡Sopas verdes y más!
4. Rocky 2001
5. Mundo hispano

Parte B

1. un programa de entrevistas
2. un programa deportivo
3. vídeos musicales
4. un programa cómico
5. los concursos

Quiz 2   Parte A

1. una película de terror
2. una película de misterio
3. una película del oeste
4. una película romántica
5. una película cómica

Parte B

1. c
2. e
3. a
4. b
5. d

Quiz 3   Parte A

1. ¿Le gusta ver películas antiguas?
   No, no me gusta ver…
2. ¿Le interesan las comedias…?
   No, no me interesan…
3. ¿Le fascina el libro…?
   No, no me fascina…
4. ¿Le encanta…?
   No, no me encanta…
5. ¿Le gustan…?
   No, no me gustan…

Parte B

3, 2, 1, 5, 4

Capítulo 1   Lección 2

Quiz 1   Parte A

curioso, intuitiva, celoso, atrevido, cuidadoso

Parte B

1. e
2. b
3. a
4. d
5. c

Quiz 2   Parte A

1. … es curioso.
2. … son deportistas.
3. … es malhumorado.
4. … es artística.
5. … es hogareño.

Parte B

1. volar (con alas delta) por las praderas
2. saltar por las peñas
3. subir laderas de montañas
4. practicar el paracaidismo
5. ir a balnearios increíbles

Quiz 3   Parte A

1. amistosa
2. curioso
3. artístico
4. valiente
5. imaginativo
6. ambiciosa
7. exitosa
8. celoso
9. orgullosa
10. cuidadoso(a)
11. optimista
12. pesimista

Parte B

1. Es un lugar bucólico.
2. … aislado.
3. … tranquilo.
4. … atestado.
5. … remoto.
6. … lujoso.
7. … cosmopolita.
8. … exótico.

Quiz 4   Parte A

1. Recorrerás…
2. Irás…
3. Correrás…
4. Te alejarás…
5. Experimentarás…
6. Descubrirás…
7. Verás…
8. Desarrollarás…
9. Subirás…
10. Encontrarás…

Parte B

1. d
2. b
3. c
4. e
5. a

Quiz 5   Parte A

1. El Sr. Pérez viajará a Londres.
2. … viajará…
3. … viajarán…
4. … viajarás…
5. … viajaré…

Parte B

1. Tú serás paracaidista.
2. … practicarán…
3. … se volverá…
4. … viviremos…
5. … compraré…

Quiz 6   Parte A

1. Mañana podrás pensar.
2. … tendrás…
3. … sabrás…
4. … estarás…
5. … hará…

Parte B

1. Viajarán a islas remotas.
2. Serán…
3. Harán…
4. Hablarán…
5. Dirán…

Capítulo 1   Lección 3

Quiz 1

1. Revisa las luces.
2. Revisa la gasolina.
3. Revisa los neumáticos.
4. Revisa la rueda de repuesto.
5. Llena el tanque de gasolina.
6. Haz las reservaciones.
7. Carga la batería.
8. Revisa el aire acondicionado.
9. Haz un presupuesto.
10. Revisa la calefacción.

Quiz 2   Parte A

1. las señales de dirección
2. los limpiaparabrisas
3. el acelerador
4. los frenos
5. el maletero
6. las luces
7. el radiador
8. la placa
9. el gato
10. el volante

Parte B

1. Van por la calle Águila hacia el sur.
2. Van por la calle del Monte hacia el oeste.
3. Van por la avenida Insurgentes hacia el norte.
4. Van por la senda turística hacia el este.
5. Van por la carretera 2A hacia el oeste.
6. Van por la autopista 95 hacia el norte.

Quiz 3   Parte A

1. Lleva…
2. Revisa…
3. Ponte…
4. Llena…
5. Respeta…

Parte B

Ven, Busca, ahorra, saca, compra, haz, dile, pídeles, Escríbeme, cuídate

Quiz 4   Parte A

1. Échale aceite.
2. Apaga las luces.
3. Revisa el radiador.
4. Llena el tanque de gasolina.
5. Abróchate el cinturón de seguridad.

Parte B

1. Haz tu tarea.
2. Cepíllate…
3. Ponte…
4. Saca…
5. Ve…

Quiz 5   Parte A

1. Revisa…
2. Haz…
3. Lleva…
4. Ajusta…
5. Piensa…
6. Cambia…
7. Descansa…
8. Planifica…
9. Evita…
10. Sigue…

Parte B

1. Llena el tanque de gasolina.
2. Lleva dinero en efectivo.
3. Cambia (Revisa) los neumáticos.
4. Carga la batería.
5. Revisa los niveles de los líquidos (el radiador, el refrigerante).

Quiz 6

2. Cambia el radiador.
3. Saca la rueda de repuesto.
4. Cambia el neumático.
5. Échale agua al radiador.
6. Revisa la presión de los neumáticos.
7. Revisa el cinturón de seguridad.
8. Limpia el parabrisas.
9. Cambia los limpiaparabrisas.
10. Revisa la documentación.

Capítulo 2 Lección 1

Quiz 1 Parte A

1. d
2. f
3. b
4. g
5. a
6. j
7. c
8. i
9. e
10. h

Parte B

1. nerviosismo
2. irritación
3. cansancio
4. confusión
5. tranquilidad/calma

Quiz 2 Parte A

Answers may vary but could include the following:

1. Repasa
2. Recuerda
3. Duerme
4. Dedica
5. Haz
6. Evita
7. Mantén
8. Familiarízate
9. Consulta
10. Evita

Parte B

1. No dejaré de dormir bien.
2. No cometeré errores tontos.
3. No estudiaré a última hora.
4. No cambiaré la rutina.
5. No me pondré furiosa conmigo misma.

Quiz 3

Quiz 4 Parte A

1. Quiero que compres…
2. Espero que traigas…
3. Deseo que leas…
4. Ruego que saludes…
5. Es importante que visites…

Parte B

1. estudies
2. duermas
3. disminuyas
4. dobles
5. te diviertas

Quiz 5 Parte A

1. Dudo que saques…
2. … duermas…
3. … vueles…
4. … recibas…
5. … mantengas…

Parte B

1. Quiero que revises…
2. … mires…
3. … disminuyas…
4. … cometas…
5. … repases…

Quiz 6

1. repases
2. consultes
3. resuelvas
4. te familiarices
5. pienses
6. cuides
7. comas
8. hagas
9. evites
10. trates

Quiz 7

Answers may vary but could include the following:

1. … no cometan errores tontos.
2. … se familiaricen con exámenes viejos.
3. … háganle preguntas al maestro.
4. … dediquen tiempo al estudio.
5. … recuerden las clases.
6. … no coman mucho.
7. … no dejen de dormir bien.
8. … no tomen café ni estimulantes.
9. … adivinen las preguntas.
10. … no calienten la prueba.

Capítulo 2 Lección 2

Quiz 1

vale la pena, Según, riesgo, educación, realidad, inconvenientes, uniforme, someterse, cuesta, ambiente, competitivo, No obstante, disfrutar

Quiz 2

1. A Gunila le cuesta comer.
2. A Silvio le cuesta ponerse el suéter.
3. … les cuesta decidirse.
4. … le cuesta vestirse.
5. … le cuesta enfadarse.
6. … le cuesta mandar una carta.
7. … le cuesta apagar la tele.
8. … le cuesta compartir sus cosas.
9. … le cuesta mantener la calma.
10. … le cuesta hacer encuestas.

Quiz 3   Parte A

uniformes, a colores, usar, limitaciones, competitivo, propio, ambos, realidad, inconvenientes

Parte B

1. laboratorio
2. impresora
3. disfrutar
4. cabe
5. enviar
6. ventajas
7. encuesta
8. uniforme
9. principiantes
10. gratis

Quiz 4

1. Aunque me enfade voy a mantener la calma.
2. … no reciba…
3. … no entienda…
4. … no sea…
5. … tenga…
6. … tenga…
7. … no sepa…
8. … quiera…
9. … me haga…
10. … ande…

Quiz 5   Parte A

1. Ponte la camisa antes de que te pongas la gorra.
2. Almuerza antes de que salgas a jugar.
3. Abróchate el cinturón de seguridad antes de que salgamos.
4. Limpia tu habitación antes de que vayamos al zoológico.
5. Termina de comer antes de que salgas a jugar béisbol.

Parte B

1. Tan pronto como haga buen tiempo, vamos a la playa.
2. … caiga… vamos a ir a esquiar.
3. … solucionemos… vamos a emprender viaje.
4. … empĩecen… vas a ver si ganaste la lotería.
5. … lleguen… vamos a disfrutar.

Quiz 6   Parte A

1. Quiero que saques buenas notas para que seas veterinario.
2. Quiero… saques… para que puedas…

3. … hables… para que entiendas…
4. … hagas… para que conozcas…
5. … uses… para que hagas…

Parte B

1. Viajaré a China a menos que haya problemas políticos.
2. Optaré… a menos que me lastime.
3. Disfrutaré… a menos que tenga…
4. Viajaré… a menos que tenga…
5. Estudiaré… a menos que encuentre…

Capítulo 2   Lección 3

Quiz 1

solicitud
empresa, entrevista
cuidar, puntualidad, tranquilo
hilo, demostrar, inteligentes, tú mismo, en serio
monosílabos, impaciencia, sueldo, puesto

Quiz 2   Parte A

Título(s): 8
Puesto: 1
Experiencia: 7
Sueldo del último trabajo: 4
Horario preferido: 2
Aficiones: 5
Metas y aspiraciones: 3
Defectos y virtudes: 6

Parte B

1. Conócete bien.
2. No pierdas la calma.
3. Cuida la imagen.
4. Sé tú misma.
5. No preguntes por el sueldo.
6. No demuestres impaciencia.
7. No contestes con monosílabos.
8. Sé puntual.

Quiz 3

1. puntual
2. posponer
3. en broma
4. sueldo
5. estropeó
6. mintió
7. dispuesta
8. afición
9. monosílabos
10. demuestra

Quiz 4   Parte A

1. d
2. c
3. a
4. e
5. b

Parte B

2, 3, 4, 5, 8, 9, 10, 11, 12, 15

Quiz 5   Parte A

1. Es de latas, hierro y otros metales.
2. Es de madera y piedra.
3. Es de plástico.
4. Es de varias telas.
5. Es de varios tipos de papel.

Parte B

1. Está nerviosa.
2. Está preocupado.
3. Está aburrida.
4. Está interesada.
5. Está enojado.

Quiz 6

1. Guillermo es dramático. Es actor.
2. … está en Francia. Es intérprete.
3. … está interesada… Es asistente…
4. … es fanática… Es locutora …
5. … es atlético. Está emocionado…
6. … está enfermo. Está en casa.
7. … está contenta. Es lectora…
8. … está disponible. Es mesera.
9. … está dispuesto. Es piloto.

Capítulo 3   Lección 1

Quiz 1

noviazgo, deshacerme, dejamos de, pasábamos, nos
manteníamos, los rumores, infiel, celos, peleábamos, dejé

Quiz 2   Parte A

1. c
2. d
3. a
4. e
5. b

Parte B

1. No sean…
2. Júntense…
3. No cuenten…
4. No dejen…
5. Manténganse…
6. Respétense…
7. No se obsesionen…
8. Conózcanse…
9. Confíen…
10. No se peleen…

Parte C

Answers will vary but may include the following:

1. Cuentan el uno con el otro.
2. Compiten el uno contra el otro.
3. Confían el uno en el otro.
4. Desconfían el uno del otro.
5. Dependen el uno del otro.

Quiz 3

me he enrollado, he tratado, he conocido, les he
explicado, han tenido
han aprendido, se han deshecho

Quiz 4   Parte A

1. Carla ya ha hecho una cita con el doctor.
2. … han organizado…
3. … hemos comprado…
4. … ha decidido…
5. … he gastado…

Parte B

1. ¿Por qué no me has besado últimamente?
2. ¿… no me has mostrado…?
3. ¿… no has confiado…?
4. ¿… no has ignorado…?
5. ¿… no te has deshecho…?

Parte C

1. No creo que Maribel haya ganado el premio literario.
2. … hayan leído…
3. … haya tenido…
4. … me hayan escuchado.
5. … haya terminado.

Quiz 5   Parte A

1. envuelto
2. descubierto
3. muerto
4. roto
5. cubierto
6. devuelto
7. inscrito
8. vuelto
9. repuesto
10. revuelto

Parte B

1. Quiero un novio que haya tenido…
2. … haya leído…
3. … haya conocido…
4. … haya viajado…
5. … haya hecho…

Capítulo 3   Lección 2

Quiz 1   Parte A

1. i
2. b
3. g
4. d
5. h
6. a
7. f
8. c
9. e
10. j

Parte B

1. flojo
2. travieso
3. engañoso
4. cómico
5. trabajador

Quiz 2 Parte A

1. Tiene los ojos llenos de luz.
2. Es bella como una princesa.
3. Es callada como un caracol.
4. Es dulce como un ángel.
5. Es cómica como una payasa.

Parte B

1. A las ocho y media era una tortuga.
2. A las nueve… una hormiga.
3. A las diez y media… un tiburón.
4. A las doce… un cerdo.
5. A las dos y media… un monstruo.
6. A las cinco… era una ballena.

Quiz 3

tenía, vivía, subíamos, estábamos, trataba, andaba, hacía, me burlaba, andaba, iba

Quiz 4

1. En aquella época tus papás todavía no existían.
2. … coqueteaba…
3. … había…
4. … confiaban…
5. … eran…
6. … salía… eran…
7. … me deshacía…
8. … tenía…
9. … me ponía…
10. … me reía…

Quiz 5 Parte A

1. Lo pasaban bien juntos todos los días.
2. Guardaban…
3. Se apoyaban…
4. Se peleaban…
5. Se obsesionaban…

Parte B

imaginaba, había, quemaban, me imaginaba, tenía

Capítulo 3 Lección 3

Quiz 1 Parte A

1. e
2. b
3. a
4. c
5. d

Parte B

1. El rocío
2. labios
3. El arroyo
4. el pensamiento
5. El olvido
6. alcanzar
7. El arco iris
8. el silencio

Quiz 2 Parte A

Answers may vary but could include the following:

1. Tu mirada me recuerda al sol.
2. Tu rostro… a la cara de un ángel.
3. Tu beso… al rocío de una flor.
4. Tus labios me recuerdan a las alas de una mariposa.
5. Tu risa… a una canción de los ángeles.
6. Tus cabellos… a un arroyo negro.
7. Tu silencio… a estrellas distantes.
8. Tu sonrisa… al rocío del amanecer.
9. Tu voz… a las campanas.
10. Tu mirada… a las nubes que pasan.

Parte B

1. dorada
2. olorosas
3. sordo
4. distante
5. vacía

Quiz 3 Parte A

1. g
2. e
3. f
4. b
5. j
6. a
7. h
8. c
9. d
10. i

Parte B

1. nube
2. labios
3. sonrisa
4. rocío
5. la muerte

Quiz 4

conocí, hablábamos, supe, tenía, sentí, quería, hubo, encontré, tuve, era

Quiz 5 Parte A

1. No llevé el mapa porque pensé que conocía el camino.
2. No quise conocerla porque ya conocía a sus amigos.
3. No pude ir a la fiesta porque no podía salir del trabajo temprano.
4. No recibí tu mensaje porque estaba enferma mi secretaria.
5. No te llamé porque no encontré mi libreta de direcciones.

Parte B

quise, quisimos, pudimos, tuve, había, quise, miró, supe,
podía, tengo

Quiz 6

1. Él quería ser mi novio en ese tiempo.
2. … me mandaba…
3. … supo…
4. … supo…
5. … había…

Capítulo 4   Lección 1

Quiz 1   Parte A

1. d
2. e
3. b
4. c
5. a

Parte B

1. mejillas
2. mirada de un lince
3. espalda derecha
4. baúles, disfrazarme
5. traviesa, diablo
6. pálidas, sonrosadas

Quiz 2   Parte A

1. pecador
2. genial
3. pensativo
4. rebelde
5. comediante

Parte B

1. chicle masticado
2. lápices mordidos
3. pedazos de chocolate
4. migajas de pan
5. una carta arrugada
6. notitas de amor
7. mensajes en clave
8. globos
9. patitas de insecto
10. cascabeles

Quiz 3

1. cascabeles
2. títeres
3. monstruo
4. el carrusel
5. arrugadas
6. diablo
7. masticado
8. campanita
9. hazañas
10. papelitos

Quiz 4   Parte A

1. Selina llamó a la ambulancia.
2. … se escondió…
3. … fueron…
4. … salimos…
5. … busqué…

Parte B

1. descubrió
2. apareció
3. se cayó
4. subió
5. leyó

Quiz 5

fui, Me senté, empecé, dormí, volví, vi, apareció, Dejé,
corrí

Quiz 6

era, tenía, se llamaba, rompí, castigó, pensaba, había
hecho, ardían, encontré, pegué

Capítulo 4   Lección 2

Quiz 1   Parte A

1. Pedro no se portó bien.
2. Hilda y Kati no fueron respetuosas.
3. Las hermanas Zaldumbide tuvieron…
4. El niño de la Sra. Olmos se escapó…
5. Julián se encerró…

Parte B

1. Alfonso… discutir.
2. Alfredo… amurrarse.
3. Alberto… chillar.
4. Alfonso… no obedecer.
5. Alejandro… quejarse.

Quiz 2   Parte A

1. me negué
2. presionaron
3. prohibieron
4. maldije
5. hicimos las paces

Parte B

1. El papá de Sara la presionó para que estudiara
   francés.
2. … lo golpearon…
3. … lo amonestó…
4. … maldijo…
5. … nos disculpamos…

Quiz 3   Parte A

1. se cayó
2. se encerró
3. echó
4. se acostó
5. vio

Parte B

1. Yo me había quejado de los quehaceres cuando sacaron esta foto.
2. No le había hecho caso…
3. Me había encerrado…
4. Había recibido…
5. Había comido…

Quiz 4

tenía, me dijeron, les hacía falta, había, acababa, había llamado, llamé, dijo, llevaba, salimos, llegamos, pensaba, esperaba, Abrí, estaban, Me tomaron

Quiz 5   Parte A

1. Dijo que había pensado…
2. Dijo que quería que la ayudaras…
3. Dijo que iría al laboratorio…
4. Dijo que después podrían…
5. Dijo que esperaba que… ganara…

Parte B

5, 1, 2, 3, 4

Quiz 6

castigan, discutí, amonestaron, saqué, dijeron, me importaban, amenazaron, hayan oído

Capítulo 4   Lección 3

Quiz 1

1. d
2. j
3. f
4. h
5. c
6. i
7. a
8. g
9. e
10. b

Quiz 2   Parte A

oscuro, ancha y ajena, perdonadora, piedad, llanto

Parte B

1. c
2. a
3. e
4. b
5. d

Quiz 3

1. pirata
2. vieja
3. bombera
4. bruja
5. monstruo

Quiz 4   Parte A

1. Un señor que caminaba como si tuviera mil años.
2. … tenía… viviera…
3. … cazaba… fuera…
4. … andaba… llevara…
5. … tenían… cargaran…

Parte B

1. hubiera recordado
2. me hubiera llamado
3. me hubiera invitado
4. hubiera pedido
5. hubiera oído

Quiz 5   Parte A

1. Ojalá que no me hubiera puesto la minifalda azul.
2. … hubiera encontrado…
3. … me hubiera mudado…
4. … hubiera ido…
5. … hubiera seguido…

Parte B

Answers will vary but may resemble the following:

1. Ojalá que hubiera tenido más cuidado.
2. … no hubiera comido tanto durante las vacaciones.
3. … hubiéramos apagado el fuego.
4. … le hubiera pedido a mi hermana que me prestara dinero.
5. … no hubiera dejado la jaula del canario en la mesa.

Quiz 6   Parte A

1. Pablo se sentaba como si tuviera la espalda encorvada.
2. … comportarse… estuviera…
3. … lloraba… fuera…
4. … se vestían y se maquillaban… fueran…
5. … las ignorábamos… existieran.

Parte B

hubiera crecido, tuviera, estuviera, fuera, terminaría, hubiera existido

Capítulo 5   Lección 1

Quiz 1   Parte A

1. Es rectangular (alargado).
2. Es cónico.
3. Es alargado (rectangular).
4. Es de plástico.
5. Es de metal.
6. Es triangular.

Parte B

1. Creo que es una calculadora solar.
2. … un abrelatas eléctrico.
3. … un detectarradares.
4. … un sacapuntas electrónico.
5. … un tocacintas.
6. … una contestadora de teléfono.
7. … un radio walkmán.
8. … un robot.

Quiz 2   Parte A

1. una palanca de mando
2. alambres
3. antena
4. patas metálicas
5. tubos
6. circuitos
7. alambres y circuitos
8. muchísimos tornillos y tuercas
9. cerebro electrónico
10. ruedas redondas

Parte B

1. Ojalá que tuviera un circuito.
2. … mandíbulas de metal.
3. … un botón.
4. … un sacapuntas.
5. … unos alambres.

Parte C

cerebro, gatear, esclavo, corregir, poderoso

Quiz 3   Parte A

1. Su hermanito quisiera un robot que le leyera cuentos.
2. … que le diera su mesada cuando ella la pidiera.
3. … que preparara las comidas.
4. … que fuera al trabajo en su lugar.
5. … que abriera la puerta.

Parte B

1. contara
2. tocara
3. hiciera
4. pudiera
5. fuera

Quiz 4

1. Ojalá que archivara más información.
2. … tuviera…
3. … calentara…
4. … fuera…
5. … pudiera…
6. … discutiera…
7. … viera…
8. … contestara…
9. … subiera…
10. … comprendiera…

Quiz 5   Parte A

1. Quisiera que Celia no tropezara con los asientos.
2. … no se comportaran…
3. … hicieran…
4. … tuviera…
5. … me mostrara…

Parte B

1. Quisiera un robot que me hiciera mis trabajos escritos, pero mientras tanto copia los de mi hermano.
2. … que cocinara… como…
3. … supiera… estudio…
4. … fuera… uso…
5. … archivara… los escribo…

Capítulo 5   Lección 2

Quiz 1

1. reciclar
2. desechos
3. prevenir
4. plantan (plantaron)
5. analfabetismo
6. planificar
7. aislamiento
8. desperdicios
9. productos químicos
10. enfermedades graves

Quiz 2

lograr, prevenir, sobrevivir, contaminar, fósiles, el suelo, radioactivos, cooperación, tomar medidas, equilibrio, magnitud, heredar

Quiz 3

1. g
2. d
3. i
4. c
5. h
6. b
7. j
8. a
9. e
10. f

Quiz 4   Parte A

1. Si no malgastáramos la comida, no existiría el hambre.
2. … hubiera… necesitaríamos…
3. … embelleciéramos… sería…
4. … se fomentaran… habría…
5. … fuéramos… malgastaríamos…

Parte B

1. hubiera sabido, habría nadado
2. habría envenenado, hubieras dicho
3. habría dicho, hubiera sabido
4. hubiera tenido, habría sufrido
5. hubiera caminado, me habría lastimado

Quiz 5   Parte A

1. Usarían estos tubos cuando las enterraron.
2. Conducirían…
3. Descubrirían…
4. Arrojarían…
5. Sabrían…

Parte B

1. Si yo fuera Mari, no tiraría el aceite en la basura.
2. … recogería…
3. … me portaría…
4. … nos daría…
5. … destruiría…

Quiz 6   Parte A

1. Yo habría reciclado el papel en la oficina si Uds. me hubieran elegido a mí.
2. … habría protegido…
3. … habría plantado…
4. … habría hecho…
5. … habría puesto…

Parte B

existieran, habría, volarían, se comerían, tuviera, podría, supiéramos, tendríamos, recogería, reciclaría

Capítulo 5   Lección 3

Quiz 1

1. cárceles
2. amanecer
3. desamparo
4. deudas
5. SIDA
6. bienestar
7. fracaso
8. naves espaciales
9. ancianidad
10. hacer durar la paz

Quiz 2   Parte A

dejáramos de juzgarnos
nos ayudaríamos el uno al otro
descubriríamos soluciones sabias
borráramos
viviríamos sin temor

Parte B

1. e
2. b
3. d
4. a
5. c

Parte C

1. d
2. e
3. c
4. b
5. a

Quiz 3   Parte A

1. A María le dijo que reuniera las tuercas y los tornillos.
2. … cargara…
3. … instalara…
4. … hiciera…
5. … pusiera…

Parte B

1. cambiara
2. le pusiera
3. compusiera
4. probara
5. vendiera

Quiz 4

fuéramos, nos muriéramos, nos harían, tendríamos, se encontrara, saldríamos, nos protegería, nos presentáramos, evitarían, quemara, se había, dañaría, perdieran, nos volviéramos, pasaran

Quiz 5   Parte A

1. Emilia dijo que no habría temor si hubiera paz por todas partes.
2. … sería… se lograra…
3. … se acabaría… se construyeran…
4. … se evitaría… se mandaran…
5. … se reduciría… se lanzaran…

Parte B

1. debería
2. te deshicieras
3. aceptara
4. se riera
5. comprara

Capítulo 6   Lección 1

Quiz 1   Parte A

1. Maribel Lozano
2. Carlos Basquetti
3. Joel Villamar
4. Silvia Terrazas
5. Alejandro Guzmán

Parte B

muda, madrugadora, vivo retrato, africanos, oxigenado

Quiz 2   Parte A

1. c
2. e
3. d
4. a
5. b

Parte B

1. se burlan de mí
2. leo las tiras cómicas
3. reprende
4. estar sola
5. parecida a mi hermana mayor

Quiz 3   Parte A

1. c
2. a or e
3. e or a
4. b
5. d

Parte B

1. chata
2. lacio
3. abundantes
4. pequeños
5. asiáticos
6. largas
7. rectangular
8. hundidas
9. chica
10. finos

Quiz 4   Parte A

1. Tía Marta está escribiendo…
2. Mamá está corrigiendo…
3. Miranda está maquillándose…
4. Hugo está tirando…
5. Papá está protegiendo el césped.

Parte B

1. Fui al colegio corriendo.
2. Salí pensando…
3. Caminé… enfureciéndome…
4. Seguí sintiéndome…
5. Estoy… riéndome…

Quiz 5

respirando, diciendo, discutiendo
construyendo, viviendo, tratando, tropezándose,
sonriéndome
mirando, corriendo, creyendo, perdiendo, pensando,
saliendo

Capítulo 6   Lección 2

Quiz 1

le dio un codazo, le echó, frunció, la espalda, dieron un
suspiro, le daba igual, abrir y cerrar de ojos, le clavó la
mirada, encogiéndose, le sacó

Quiz 2   Parte A

1. pelo
2. dedo
3. ojos
4. oídos
5. espalda

Parte B

1. d
2. e
3. a
4. c
5. b

Quiz 3   Parte A

1. b
2. e
3. d
4. a
5. c

Parte B

1. la lengua
2. lenguas
3. boquiabierta
4. un suspiro
5. la lengua

Quiz 4

1. b
2. e
3. d
4. a
5. c

Quiz 5   Parte A

añoro, me acostumbro, Estoy estudiando, quiero, estás
preparando, está leyendo, está hablando, Estoy
ahorrando, Salgo, llego

Parte B

1. estoy preparando
2. uso
3. estoy friendo
4. Está leyendo
5. recibimos, leo
6. está empezando

Quiz 6   Parte A

1. ensayo
2. estoy cuidando
3. practico
4. estoy buscando
5. Pienso

Parte B

1. Mi hermana está sacándole la lengua.
2. El perro está mordiendo…
3. Mi hermanito está dejando…
4. Mamá está roncando…
5. Mi hermano y su novia está besándose…

Capítulo 6 Lección 3

Quiz 1 Parte A

1. el qué dirán
2. los requisitos
3. me ata
4. lealtad
5. necesidad

Parte B

1. estupideces
2. haraganes
3. estrafalaria
4. aborrece
5. abruptamente

Quiz 2 Parte A

1. c
2. d
3. a
4. b
5. e

Parte B

desgarbados, mendigo, altivez, indiferencia, el qué dirán

Quiz 3 Parte A

1. c
2. b
3. e
4. d
5. a

Parte B

1. semblante, mimada
2. la franqueza, los chismes
3. acurrucada, confianza
4. pinta, a pesar de eso
5. al fin y al cabo, en el fondo

Quiz 4

Por, para, para, por, para
para, para
para
por
por, para, por

Quiz 5

1. para
2. por
3. para
4. por
5. por
6. por
7. para
8. por
9. por
10. por

Quiz 6

por, para, por, por, por, para, para, por, para, por, para, por, Por